Desigualdade

Eduardo Moreira

Desigualdade
& caminhos para uma sociedade mais justa

20ª edição

Rio de Janeiro
2024

Copyright © Eduardo Moreira, 2019

CIP-BRASIL. CATALOGAÇÃO NA PUBLICAÇÃO
SINDICATO NACIONAL DOS EDITORES DE LIVROS, RJ

M837d
20ª ed.
    Moreira, Eduardo
    Desigualdade & caminhos para uma sociedade mais justa / Eduardo Moreira. – 20ª ed. – Rio de Janeiro: Civilização Brasileira, 2024.

    ISBN 978-85-200-1393-9

    1. Riqueza. 2. Economia. 3. Renda – Distribuição. I. Título.

19-56916
    CDD: 339.2
    CDU: 330.526.5

Leandra Félix da Cruz – Bibliotecária – CRB-7/6135

Todos os direitos reservados. Proibida a reprodução, o armazenamento ou a transmissão de partes deste livro, através de quaisquer meios, sem prévia autorização por escrito.

Texto revisado segundo o novo Acordo Ortográfico da Língua Portuguesa.

Direitos desta edição adquiridos pela
EDITORA CIVILIZAÇÃO BRASILEIRA
Um selo da
EDITORA JOSÉ OLYMPIO LTDA.
Rua Argentina, 171 – Rio de Janeiro, RJ – 20921-380 – Tel.: (21) 2585-2000.

Seja um leitor preferencial Record.
Cadastre-se no site www.record.com.br
e receba informações sobre nossos
lançamentos e nossas promoções.

Atendimento e venda direta ao leitor:
sac@record.com.br

Impresso no Brasil
2024

Dedico este livro aos meus filhos Francisco, Catarina e Maria Eduarda, à minha esposa, Juliana, e a todas as famílias do interior do país que me receberam em casa durante essa jornada e tanto me ensinaram sobre a desigualdade de nosso país.

SUMÁRIO

Prefácio, por Jessé Souza	9
Você morre trancado dentro de um cofre	13
1. A primeira aula de economia que todos deveriam ter	25
2. Compreendendo os conceitos básicos	29
3. O surgimento dos mercados	35
4. O surgimento da propriedade privada da terra e dos meios de produção	45
5. O processo de investimento	49
6. O processo de geração de riqueza	55
7. A redistribuição de riquezas no mundo moderno	65
8. As consequências políticas da desigualdade	71
9. A função dos bancos no sistema econômico	99

10. A verdadeira economia e lições sobre desigualdade 111

11. A concentração dos meios de produção e a
dependência econômica 125

12. O futuro do sistema capitalista 131

Posfácio, por Márcio Calvet Neves 139

PREFÁCIO

JESSÉ SOUZA*

Conheci Eduardo Moreira por meio de um desses vídeos da internet com milhões de visualizações. Nesse vídeo Eduardo dizia, entre outras coisas, que, apenas em taxas bancárias arbitrárias, os bancos cobravam mais de seus clientes que tudo o que o país investia em educação e saúde. Nunca havia visto um investidor, no Brasil, ser sincero e verdadeiro com seu público. Esse fato atraiu minha curiosidade.

Descobri em seguida que o Eduardo havia sido um grande investidor de um grande banco brasileiro. Ora, em um país onde os bancos assaltam a população por meio de mecanismos de mercado, como juros escorchantes sem nenhum motivo racional, e de mecanismos de Estado, como uma "dívida pública" enganosa e ilegal, eu jamais havia visto um ex-banqueiro denunciar o esquema da grande fraude financeira.

---

* Sociólogo, professor titular na Universidade Federal do ABC, ex-presidente do Instituto de Pesquisa Econômica Aplicada (IPEA), autor de *A elite do atraso*.

DESIGUALDADE

Convidei então Eduardo para participar em um programa que eu apresentava na TV 247. Comprei e li seu livro *O que os donos do poder não querem que você saiba*, para me preparar para a entrevista. O programa foi interrompido antes que nos conhecêssemos pessoalmente, mas nos encontramos assim mesmo e conversamos sobre o livro e sobre a decisão de Eduardo elucidar o público, e não enganá-lo como seus colegas de mercado faziam e ainda fazem. Foi como ter encontrado um irmão de uma luta em comum.

Para mim existem poucas coisas mais importantes e relevantes a se fazer do que explicitar aos brasileiros os efeitos de uma dominação econômica singularmente cruel, que nunca se mostra como exploração. Nesse sentido, a cruzada que Eduardo se propôs a fazer se combina e se complementa com a minha própria, em meus livros e minhas pesquisas. Trata-se de revelar aos brasileiros, enganados já há tanto tempo pela lorota da corrupção política como a causa única dos grandes problemas nacionais, que o assalto organizado pelo mercado financeiro é o que produz desemprego e miséria entre nós.

Todos os proprietários, sejam do agronegócio, da indústria ou do comércio, apropriam-se agora, de modo crescente, do produto do trabalho coletivo de toda a sociedade por meio de juros abusivos embutidos em tudo que compramos. A forma "juro", tendencialmente mais opaca e invisível que a forma "lucro", irmana todos os grandes proprietários, a "elite econômica", no assalto comum a todas as outras classes sociais.

A "dívida pública" não é "dívida" – posto que é sem contraprestação à sociedade, e a parte do leão é juro sobre juro – nem muito menos é "pública" – uma vez que é cheia de falcatruas

PREFÁCIO

privadas. Por conta disso nunca é auditada para que se saiba a quem se deve e quanto se deve – o que faz a outra parte do engodo. Seja, portanto, apropriando-se do poder de compra da população, seja se apropriando do orçamento público, pago pelos mais pobres, o capitalismo financeiro é mais insidioso e pernicioso entre nós que em qualquer outro lugar.

Eduardo, em seu livro anterior, como também neste que prefacio, dedica-se com talento invulgar a informar os seus leitores acerca daquilo que todo o esquema de poder dominante milita para esconder. Por conta disso, seu perfil combativo e destemido é tão necessário. Neste livro, a tarefa se completa com uma discussão ao mesmo tempo lúcida e acessível sobre a desigualdade, ideia hoje tão combatida pelos verdadeiros donos do poder, que estão no comando do mercado e capturam o Estado para seus fins. Questões complexas como o funcionamento do sistema bancário, a diferença entre riqueza e dinheiro, a função dos impostos são analisadas por Eduardo com clareza e inteligência, de modo a esclarecer sua tese central neste livro: explicar por que não existe maior doença social no mundo que a desigualdade.

Desejo ao Eduardo uma vida longa e produtiva, e estou certo de um futuro ainda mais brilhante que seu presente. Sua tarefa é necessária e urgente. Os seus leitores, por sua vez, têm em mãos um texto de fácil leitura e compreensão, que vai de encontro às falsas verdades estabelecidas pelos que têm interesse na preservação da mentira social, aquela que rouba a inteligência e a defesa possível dos enganados e oprimidos, ou seja, em medida variável, de todos nós.

VOCÊ MORRE TRANCADO DENTRO DE UM COFRE

Cresci sendo um curioso e muitas vezes um chato. No colégio, não foram poucas as vezes, durante as aulas, em que ouvi de meus professores e de meus amigos que precisava ficar quieto e parar de fazer perguntas. Eu realmente passava, e muito, do ponto.

Descobrir exatamente como tudo funcionava virou a partir de determinado momento de minha vida uma verdadeira obsessão. Não sossegava enquanto aquilo que inicialmente parecia um grande mistério não se tornava incrivelmente simples. Quando eu desvendava o segredo, fazia questão de explicar para alguém tudo o que tinha descoberto, de maneira a provar a mim mesmo que eu realmente havia entendido. Era um jogo em que eu precisava sempre ganhar.

Passei pela primeira vez para o curso de engenharia civil na PUC-Rio, uma das mais difíceis em termos de relação candidato por vaga no estado, quando eu tinha 15 anos e estava ainda

13

DESIGUALDADE

cursando o segundo ano do ensino médio. A ideia era só conhecer o processo de avaliação de um vestibular para, no ano seguinte, estar mais confortável com a prova.

Resolvi (na verdade, meus pais decidiram, afinal com 15 anos eu não decidia absolutamente nada) continuar no colégio até o ano seguinte e terminar o ensino médio antes de entrar na faculdade. Eu já estava um ano avançado, era o "pirralho" da turma no colégio, motivo de ter sofrido muito bullying. Adiantar mais um ano para ser o bebê da faculdade iria certamente tornar minha vida um caos. Ponto para meus pais, que souberam tomar a decisão correta!

No ano seguinte, refiz o vestibular e novamente me classifiquei, dessa vez entre os primeiros colocados. Assim, eu estava começando o curso que meus pais sempre sonharam para mim. E, eu tinha certeza, era meu sonho também... aos 16 anos de idade...

O curso de engenharia, para quem gosta de descobrir o porquê das coisas, é realmente incrível. As aulas são quase como uma revelação sobre todos os segredos por trás daquilo que usamos na vida. Os laboratórios, um verdadeiro parque de diversões para curiosos como eu.

Tudo ia muito bem, divertido e empolgante durante os primeiros anos. Minhas notas eram ótimas, eu havia começado a estagiar na pequena construtora de meu pai e havia me tornado professor particular de física e matemática nas horas vagas, ganhando um belo dinheiro. A remuneração das aulas era tão boa que falei a meu pai que eu havia decidido pagar minha própria faculdade para dar minha contribuição em casa.

VOCÊ MORRE TRANCADO DENTRO DE UM COFRE

Eis que um dia resolvi me inscrever em um programa de intercâmbio entre a PUC e a Universidade da Califórnia, disponível somente para oito alunos ranqueados entre os melhores de todos os cursos da faculdade, que permitiria que estudássemos durante um ano gratuitamente, pagando, na Universidade da Califórnia, apenas a mensalidade normal que já pagávamos na PUC.

Seria a minha chance de estudar engenharia civil num dos maiores centros tecnológicos do mundo, utilizando os melhores laboratórios e aprendendo com professores superpremiados e famosos! Os mesmos que escreviam os mais importantes livros de engenharia que eu conhecia. Se estudar engenharia na PUC era um sonho, isso era o topo do mundo! Para minha alegria e de meus pais, fui aprovado para o programa.

Até que a vida me pregou uma peça. O material enviado pela PUC para a Universidade da Califórnia não chegou ao destino após ser extraviado no correio. No envelope que se perdeu, estavam todos os documentos que comprovavam as matérias que eu havia feito no curso de engenharia e que eram necessários para que eu pudesse cursar somente as matérias avançadas na Califórnia.

Sem essa comprovação, me restava cursar novamente as matérias básicas do curso de engenharia ou escolher matérias de outros cursos para, depois, aproveitá-las como carga exigida pela PUC nas disciplinas chamadas "eletivas". Decidi pela segunda opção e escolhi matérias de economia.

Foi uma escolha acertada. A economia e eu vivemos um amor à primeira vista. Dediquei-me intensamente às aulas a que assistia e, nos horários livres, busquei sempre mais conteúdo para

DESIGUALDADE

estudar. Curiosamente, talvez por ter viajado com a mentalidade de um engenheiro, minha abordagem era bem distinta da dos outros alunos do curso de economia. Eu queria entender o que era ensinado sob uma perspectiva lógica, matemática e racional, como se estivesse montando um daqueles quebra-cabeças que costumava ganhar de presente quando era pequeno.

E assim segui meu caminho durante todo o período do intercâmbio, com muita dedicação e entusiasmo pelo curso de economia. No final, as notas refletiram meu esforço (10 em todas as matérias, com exceção de uma em que tirei 9,75), e fechei meu período de estudos recebendo o certificado de provost honor em todos os trimestres. Recebi também várias cartas de recomendação, e tive meu minor certificate em economia aprovado pela Universidade da Califórnia em San Diego.

Voltei ao Brasil e ingressei no mercado financeiro, num dos maiores bancos de investimento do país. Já contei um pouco dessa história em outro livro, *O que os donos do poder não querem que você saiba*, e talvez um dia a conte com mais detalhes em outra obra – não faz sentido repeti-la aqui.

O importante é saber que passei vinte anos trabalhando no mercado financeiro, período em que tive contato com algumas das mentes consideradas mais brilhantes desse setor. Foi lá onde pude vivenciar algumas das maiores crises econômicas do último século – de dentro de uma mesa de operações – e onde pude criar várias linhas de negócios para as empresas nas quais trabalhava. Tudo isso para dizer que foi um período de muito aprendizado.

VOCÊ MORRE TRANCADO DENTRO DE UM COFRE

O aprendizado foi tamanho, que em dado momento percebi que poderia utilizar tudo aquilo que havia aprendido para ensinar aos outros. Isso porque parte do aprendizado foi perceber que a maioria das pessoas navegava cegamente no mundo dos investimentos e das finanças. O resultado disso era que, na maioria das vezes, as pessoas perdiam muitas oportunidades e dinheiro simplesmente pela falta de conhecimento sobre um assunto que eu tinha passado a dominar. Assim, comecei a dar cursos e palestras sobre o tema, visando sempre a instruir as pessoas e a libertá-las das armadilhas do sistema financeiro, dando a elas conhecimento a respeito das armadilhas em que caíam.

Em determinado momento, o que eu fazia começou a incomodar as pessoas do meu mercado. Equilibrar o jogo em termos de conhecimento entre clientes e empresas não era nem de longe um dos objetivos dos lugares onde trabalhei. Pelo contrário, todos sabiam que a falta de conhecimento dos clientes tinha um valor enorme para os negócios.

O desalinhamento chegou a tal ponto que não restou alternativa a não ser um convite para sair do sistema. E assim fiz, decidido a dedicar minha vida aos cursos e palestras sobre investimentos. Só que agora podia ser ainda mais enfático e claro em minha mensagem, para revelar absolutamente tudo o que tinha adquirido em termos de conhecimento de maneira a abrir os olhos e a mente das pessoas.

A mensagem chegou às pessoas como um choque; minhas entrevistas e artigos passaram a ganhar um grande espaço na mídia. Dezenas de milhões de pessoas compartilhavam e comentavam entusiasmadas o que ouviam, pois enfim começavam

DESIGUALDADE

a conhecer o sistema que sempre lhes fora escondido. E elas acreditavam no que ouviam, pois as palavras vinham de alguém que tinha passado duas décadas dentro do sistema.

O espaço na mídia acabou resultando em um convite, em 2018, para me juntar à própria mídia e ser comentarista econômico num dos programas de maior audiência do país. Isso tudo no meio de um processo eleitoral incrivelmente polarizado – as pessoas e os mercados estavam com nervos à flor da pele, e a incerteza era a única coisa certa que se tinha.

Os questionamentos quanto aos rumos da economia, do país, da política e dos investimentos não paravam de crescer. Eu tinha a responsabilidade de responder a eles, com uma exposição midiática que nunca antes havia experimentado.

Eu precisava me preparar para isso. Então, resolvi voltar aos estudos. Na verdade, nunca os deixei, sempre fui daqueles que lê simultaneamente dois ou três livros. Mas eram leituras descompromissadas, normalmente feitas antes de dormir.

Agora não, eu precisava estudar como nunca havia estudado na vida. Passaria três horas por dia, ao vivo, em rede nacional, comentando assuntos de toda natureza e que variavam diariamente. Era como se eu tivesse de fazer sete provas de vestibular por semana. Comecei a estudar cinco, seis horas diárias. Percebi que não era o suficiente. Aumentei para oito, nove. Até que, quando vi, estava estudando mais de dez horas por dia.

Para me orientar, recorri a amigos, minhas referências em termos de conhecimento sobre os principais temas econômicos e políticos do país. Recebia textos enormes para ler. Visitava os principais sites do Brasil e do mundo para ler dezenas e dezenas

VOCÊ MORRE TRANCADO DENTRO DE UM COFRE

de relatórios. Então, fiz uma descoberta reveladora em minha vida: descobri que não sabia absolutamente nada. Pelo menos no que dizia respeito a economia e finanças.

Era assustador. Eu me senti uma fraude! Eu me dei conta de que havia passado uma vida inteira simplesmente decorando trechos de livros ou textos que havia estudado, frases de chefes ou de economistas com quem tinha estado e raciocínios de antigos professores, simplesmente para repeti-los quando eu fosse questionado. E eu tinha tanta informação que provavelmente isso resolveria meu problema e me daria a reputação de "sabichão" para o resto da vida.

De repente, percebi que isso não era saber. Era guardar e repetir informação. E, sejamos honestos: para repetir algo falado por outra pessoa não precisamos de mais ninguém atualmente, temos o Google!

Resolvi ir à base do sistema, como alguém que estuda programação e resolve sair das linguagens superficiais, como JAVA, C, SWIFT, para estudar a linguagem da máquina. Na verdade, decidi ir mais fundo do que isso: estudar as interações eletromagnéticas dos chips e processadores para compreender o que resulta em tudo aquilo que vemos na tela do computador. Eu precisava conhecer e interpretar os números e as informações que estavam na base de todo o processo econômico.

Foi o que fiz, e no começo foi desesperador. Eu não entendia absolutamente nada. Passava horas e horas tentando encontrar pelo menos duas peças do meu quebra-cabeça que se juntassem, sem sucesso. Até que as primeiras peças começaram a se encaixar. A seguir, outras começaram também a fazer sentido.

E outras mais, até que, quando me dei conta, havia montado o suficiente para enxergar a figura do quebra-cabeça. Foi uma enorme surpresa ver que figura era essa. Era muito mais simples e assustadora do que eu jamais teria imaginado.

Ficou evidente para mim (e talvez seja um erro dizer isto ao leitor e à leitora antes que cheguem ao fim do livro) que o principal problema do mundo era um só. Todo o resto, para onde se voltava a atenção das pessoas, era somente consequência de primeira, segunda e outras ordens mais distantes do problema inicial.

Eu havia passado a vida inteira olhando para o lado errado! Por isso não tinha entendido nada. Pior: descobri que passara boa parte da vida como um dos responsáveis pelo maior problema que o mundo vive há séculos – e acreditando que eu era parte da solução.

Já disse, em *O que os donos do poder não querem que você saiba*, que a vida e as estruturas de poder funcionam de forma muito parecida às de um show de mágica. Enquanto ficamos distraídos olhando para o que não tem importância, não percebemos os truques sendo feitos. E, de uma hora para outra as ilusões tinham sido reveladas e tudo passara a fazer sentido. As mágicas do poder caíram como castelos de carta diante de mim.

Pois bem, minha grande descoberta foi que o maior problema do mundo é a desigualdade. Simples assim. Todo o resto – corrupção, violência, carência de saúde e educação, e o que mais vier à mente – é apenas consequência desse problema inicial.

A essa altura, imagino que boa parte dos leitores esteja pensando: "Mas tanto mistério para isso? É claro que sabemos

VOCÊ MORRE TRANCADO DENTRO DE UM COFRE

que a desigualdade é um problema, mas todo o resto é tão importante quanto ela, e nem tudo é necessariamente consequência da desigualdade." Se esse for seu caso, peço que fique comigo até o fim deste livro. Aceite meu convite para reavaliar sua impressão inicial.

O ponto é que "desigualdade" passou a ter um significado diferente para mim, sem dúvida diferente do que tem para a maioria das pessoas. Ela deixou de significar simplesmente "uns terem muito mais do que os outros" ou "injustiça". Talvez esse seja o motivo de ainda não estarmos conectados, o leitor e eu, afinal, estamos falando de coisas diferentes.

Mas não se preocupem, a conexão virá ao longo da obra. O significado de desigualdade a que me refiro passou a englobar todo o mecanismo financeiro, econômico e social por trás da palavra. E foi a partir daí, da compreensão desse mecanismo, que absolutamente tudo relativo aos sistemas econômicos ficou claro para mim.

Perguntas para as quais eu normalmente tinha respostas prontas passaram a me servir como incríveis fontes de investigação para esse processo. Questões do tipo: "Quando a Bolsa de Valores cai, o dinheiro some ou tem alguém ganhando com isso?"; "Por que o governo simplesmente não emite mais dinheiro e o distribui a quem precisa para acabar com a pobreza?"; "Qual é a expectativa de crescimento do país se o candidato X ou Y for eleito?"; "O déficit fiscal do governo é ruim para o país?"; entre outras.

Agora eu podia ir além das respostas de prateleira, do tipo: "Existe uma destruição de riqueza"; "Porque isso geraria inflação"; "O crescimento será maior porque haverá mais

DESIGUALDADE

investimentos"; ou "O déficit impede que o país cresça". Dessa vez eu iria à base do questionamento: "Crescia como?"; "Quem iria investir?"; "Quem tomava a primeira decisão para haver esse crescimento, e qual decisão era essa?"; "O que é riqueza, afinal?"

Então, com essa última pergunta, tive outro grande insight. Percebi que há muito tempo, como sociedade, esquecemos o conceito de riqueza. Nós o substituímos pelo de dinheiro, como se fossem a mesma coisa. E, em dado momento, passamos a colocar o principal objetivo da nação, e até mesmo os nossos objetivos individuais, como sendo o de gerar e acumular dinheiro, e não riqueza.

Lembro-me de um dos primeiros momentos em que entendi melhor a diferença entre os dois. Pensei: *Se você quer saber a diferença entre dinheiro e riqueza, tranque uma pessoa dentro de um cofre com 10 milhões de dólares por uma semana e veja se ela vai se achar rica (ou sairá viva).*

Percebi que, com exemplos simples, eu poderia levar para as pessoas a compreensão de assuntos absolutamente complexos. Lembro-me de que, em uma palestra, logo após o momento de *revelação*, mostrei às pessoas a foto de um parque de areia.

Comecei a falar sobre economia comparando uma comunidade a um parque de areia. Mostrei que a riqueza do parque era a areia: o material que os que lá estavam tinham para brincar. Todas as vezes em que houvesse montes de areia no parque, podíamos ter somente uma certeza: ali, em algum lugar, haveria buracos. As duas únicas maneiras de tapar esses buracos, portanto, seriam derrubar um pouco da areia dos montes ou trazer mais areia para o parque.

VOCÊ MORRE TRANCADO DENTRO DE UM COFRE

Depois de ilustrar o exemplo, vi que tudo ficava incrivelmente simples para os espectadores. As pessoas conseguiam entender os conceitos de redistribuição de renda, de impostos sobre renda e patrimônio, o papel do crescimento e da geração de novas riquezas para uma sociedade mais igual – e muitos outros!

Ali mesmo resolvi escrever este livro, que deseja apresentar, da maneira mais simples que eu conseguir, todo o processo de geração, acumulação, distribuição, gestão e controle de riqueza nos modelos econômicos.

Acredito que, para muitos, isso significará a possibilidade de compreender assuntos que sempre tiveram dificuldade de assimilar. Para mim, é a chance de deixar um legado crítico e contribuir para uma discussão mais lúcida e que possa um dia resultar em um mundo mais justo.

Boa leitura.

I. A PRIMEIRA AULA DE ECONOMIA QUE TODOS DEVERIAM TER

Tenho comparado, em minhas aulas e palestras, a economia dos países e regiões do mundo a pequenos parques de areia onde brincam crianças. Explico que a riqueza de um país é como a areia do parque. Digo também que, para se construírem montes de areia, inevitavelmente existirão buracos em algum lugar. Mostro, então, que nos países mais desenvolvidos do mundo, onde a qualidade de vida é tida como melhor, os montes não são tão altos e os buracos não são tão fundos, um reflexo de mecanismos que servem para "derrubar" areia dos montes mais altos de volta para o playground e permitir que os buracos nunca fiquem muito grandes, e todos sigam brincando.

É assim que as coisas funcionam, por exemplo, nos países nórdicos, onde o 1% mais rico da população não acumula mais do que 10% da renda do país e são poucos, estatisticamente, os indivíduos ultrarricos, como aqueles que figuram nas listas das pessoas com maior patrimônio do mundo.

DESIGUALDADE

Fica claro também, pela análise das estatísticas disponíveis relativas ao sucesso dos países em oferecer qualidade de vida a seus habitantes, que "derrubar montes" é um dos mecanismos mais eficazes para se fazer com que os playgrounds que existem funcionem da melhor e mais justa maneira possível.

No entanto, a maioria dos países capitalistas alega que o melhor mecanismo é outro: o de se jogar mais areia no parque, para que essa areia nova possa tapar os buracos sem que os montes tenham que, necessariamente, ser destruídos. Isto acontece, naturalmente, por um poder político concentrado nas mãos dos detentores (ou representantes deles) dos "montes de areia" nesses países.

Estimativas, porém, mostram que, se dependêssemos somente da areia que é jogada no parque para tapar os buracos, o mundo precisaria crescer 175 vezes sua economia (+17.500%), com a atual taxa de distribuição de renda, para fazer com que todo habitante do planeta conseguisse viver com uma renda superior a 5 dólares por dia (Oxfam Brasil, 2018). Um crescimento impensável, dada a escassez de recursos naturais no planeta e a inexistência de mão de obra para suportar tal crescimento.

A ideia deste trabalho é estudar o real significado de "riqueza" e também seu processo de criação e distribuição, além das suas consequências na vida econômica de uma comunidade, tirando daí importantes insights para compreender os sistemas econômicos e o funcionamento do sistema como um todo.

Cabe lembrar que vivemos no país que possui a maior desigualdade social do mundo, com o 1% mais rico concentrando a maior parcela do total da renda gerada. No Brasil, essa fatia é de quase 30% da renda total (World Inequality Report, 2018).

A PRIMEIRA AULA DE ECONOMIA...

Quando analisamos patrimônio, e não renda, esse percentual aumenta ainda mais. Para se ter uma ideia, 1% dos donos de terras concentram mais de 50% das terras cultiváveis do país. E quando consideramos o volume de dinheiro, o 1% mais rico possui mais reservas acumuladas do que os 90% mais pobres. Uma verdadeira catástrofe social, com consequências nefastas, que parece, porém, passar despercebida à maior parte da população.

2. COMPREENDENDO OS CONCEITOS BÁSICOS

Para compreender os conceitos com os quais trabalharemos ao longo deste livro, precisamos voltar bastante no tempo e compreender o conceito de riqueza de uma comunidade, de forma a avançar no entendimento de todo o processo.

Imagine uma comunidade há dezenas de milhares de anos. Uma comunidade nômade, formada por um grupo pequeno de indivíduos, que, por necessidade de sobrevivência, acaba de se mudar para uma nova região. É a partir desse momento, quando o grupo se estabelece nessa nova região, que estudaremos os conceitos de geração e distribuição de riqueza dessa comunidade.

A primeira pergunta que nos cabe fazer é: qual a "riqueza" dessa comunidade? Ou, para usar a alegoria do capítulo anterior: se essa comunidade fosse um parque, qual seria a sua areia? O que esse grupo tem a distribuir entre seus integrantes para garantir sua sobrevivência e existência?

DESIGUALDADE

Bem, nesse caso inicial, muito simples, fica certo que existem basicamente duas fontes de riqueza para essa comunidade. A primeira é a mãe natureza e a segunda é a mão de obra (ou a capacidade de trabalho) dos integrantes. Fazendo um paralelo com termos que estamos acostumados a ouvir (isso é algo que buscarei fazer ao longo deste livro): estamos falando dos bens e serviços que podem ser gerados pelo grupo.

Em relação à riqueza representada pelos bens, trata-se daquilo que os integrantes da comunidade conseguirão extrair da natureza: frutos das árvores próximas, animais pegos em armadilhas, água potável do rio e tudo o mais que for necessário para suprir as necessidades de sobrevivência. Tudo o que for extraído da natureza e guardado na comunidade será considerado o estoque de riqueza dessa comunidade.

Em relação aos serviços, ou capacidade de mão de obra, tudo o que a comunidade tiver em potencial de trabalho e habilidades específicas de seus integrantes pode ser também considerado *riqueza em potencial*, que se tornará *riqueza de fato* à medida que forem sendo realizados, agregando valor aos bens que foram adquiridos da natureza.

Por exemplo, se um dos moradores sai em busca de pedaços de madeira e cipó (trabalho), encontra esses itens (bens), e os recolhe para então construir um arco e uma flecha (trabalho adicionando valor a um bem), criou riqueza para sua comunidade a partir das duas fontes que citamos (natureza e mão de obra), isoladamente e de forma combinada. De forma similar, se alguém sai para caçar e um dos moradores da comunidade

COMPREENDENDO OS CONCEITOS BÁSICOS

fica cuidando dos filhos durante sua ausência, esse serviço (cuidar dos filhos) pode também ser considerado parte da riqueza dessa comunidade.

Se o objetivo dessa comunidade é construir riqueza, só existe, portanto, uma maneira de fazê-lo: extraindo mais coisas da natureza e trabalhando mais. Não há qualquer outra possibilidade. Dessa forma, os integrantes da comunidade poderão ter à sua disposição mais bens e serviços para atender a todas as suas necessidades.

O exemplo, apesar de muito simples, é extremamente didático, e até certo ponto bem fiel à forma como as comunidades pioneiras humanas subsistiam em tempos remotos. Porém, para que essa existência acontecesse de forma eficiente e harmônica, seria fundamental um sistema que redistribuísse parte da riqueza produzida entre todos os integrantes da comunidade.

Seria natural que alguns integrantes da comunidade tivessem maior aptidão para certas tarefas do que outros, e também seria normal que algumas investidas em busca de recursos da natureza feitas por certos membros fossem mais bem-sucedidas do que outras, de modo que haveria sempre uma distribuição desigual dos recursos à disposição de todos.

É importante jamais perdermos de vista o entendimento sobre qual era o maior objetivo desses grupos de indivíduos: sobreviver! Se possível, com qualidade de vida. E era claro para todos na comunidade que a sobrevivência individual de seus integrantes estava intrinsecamente ligada à sobrevivência do grupo – a força do grupo é que determinava o poder da comunidade de produzir riquezas e se defender. Existia, portanto, um

DESIGUALDADE

interesse explícito em fazer com que todos no grupo estivessem sempre bem e fossem capazes de seguir exercendo suas funções, o que acabava refletindo no bem-estar e na segurança de todos.

Talvez aqui já valesse fazer uma pequena pausa para comparar a situação que acabamos de descrever com a mentalidade atual das sociedades capitalistas de consumo, sobre as quais falaremos detalhadamente ao longo desta obra.

Hoje, quando vemos algum programa social de transferência de renda para pessoas mais pobres, que vivem à margem da sociedade, não conseguimos perceber algo que era claro para nossos antepassados: o fato de que o grupo inteiro fica muito mais fraco quando tem uma parcela debilitada, sem condições mínimas de produzir ou reagir. Costumamos encarar a transferência de "riqueza" como um estímulo à ociosidade e à vagabundagem – e muitos chegam a ver na transferência de renda uma enorme injustiça.

Duas coisas passaram então a acontecer nessas comunidades. Uma delas, a especialização do trabalho, em que cada um percebia onde agregaria mais valor ao grupo e, assim, focava em fazer a sua parte da melhor maneira possível. A outra, um processo organizado de distribuir toda a riqueza gerada pelos membros da comunidade, a fim de que cada indivíduo tivesse sempre as condições necessárias para potencializar suas capacidades e dar a melhor contribuição para o grupo.

Não sigamos adiante sem antes revisitar o conceito de riqueza sobre o qual voltaremos a falar tantas vezes, dado que ele é o único sobre o qual precisamos uma compreensão plena. Todo o resto será somente um desdobramento desse conceito.

COMPREENDENDO OS CONCEITOS BÁSICOS

- A riqueza dessa comunidade depende somente do que a natureza tem para oferecer (os bens) e da capacidade de trabalho de seus indivíduos.
- Se a comunidade quiser "gerar riqueza", precisará fazer com que todos os seus membros trabalhem mais, porém esgotará mais rapidamente os recursos à sua disposição.
- A riqueza dessa comunidade vai naturalmente sendo consumida, ou gasta, por seus integrantes, de modo que, para sua sobrevivência, é necessário que constantemente mais riqueza seja gerada por meio de novas caçadas, buscas por frutos, entre outras tarefas.
- Se a geração da nova riqueza for maior do que a riqueza que está sendo consumida, a comunidade irá acumular riqueza, tornando-se ao longo do tempo uma comunidade mais rica. Se a nova riqueza for menor do que a consumida, a comunidade irá empobrecer, possuindo menos recursos para sobreviver.
- O objetivo final da comunidade é sobreviver, se possível oferecendo qualidade de vida a cada um dos integrantes do grupo – dado que a força do grupo é a principal variável para que todos consigam ser bem-sucedidos nessa tarefa.
- Para maximizar a capacidade de gerar riqueza, naturalmente as pessoas passam a se especializar, trabalhando naquilo que fazem melhor, de maneira que os excedentes de riqueza sejam redistribuídos entre o grupo e todos tenham o maior conjunto possível de recursos à disposição.

DESIGUALDADE

Antes de seguirmos adiante, é importante frisar o penúltimo ponto dessa lista: *o objetivo principal da comunidade é sobreviver.* Esse objetivo fará com que tudo nessa comunidade seja feito para fortalecer o grupo. E, para isso, a integridade e qualidade de vida de todos os indivíduos que a compõem devem sempre ser preservadas. A "riqueza" é, portanto, nessa comunidade, somente um meio para que esse objetivo final seja alcançado. Jamais é um fim em si próprio.

3. O SURGIMENTO DOS MERCADOS

À medida que essas comunidades iam crescendo, foi necessário implementar mecanismos que facilitassem o processo redistributivo, adicionando controle, ordem e, até certo ponto, um "sistema" de merecimento dos recursos, caso eles não fossem suficientes para todos no grupo. Foram também criadas regras de troca dos excedentes de riqueza. O primeiro vestígio de um mercado começava a existir.

É fundamental compreender que o objetivo desse "mercado" incipiente era apenas organizar o mecanismo redistributivo de riqueza. Isso porque o objetivo da comunidade seguia sendo o de sobreviver e fortalecer-se como grupo.

Nesse sentido, não havia lógica nenhuma para alguém que tivesse colhido bananas em excesso deixá-las apodrecer, vendo seus colegas do grupo morrer de fome. Isso deixaria o dono das bananas sozinho e frágil, o que deveria ser evitado a todo custo.

No entanto, se todos tivessem excedentes, eles poderiam ser trocados seguindo um determinado padrão ou razão de troca.

DESIGUALDADE

Peço licença para contar uma rápida história que aconteceu comigo há não muito tempo, e que mostra como isso não fica muito distante do que ainda acontece em algumas comunidades nos dias de hoje.

Eu estava com minha esposa fazendo uma viagem à Chapada dos Veadeiros, no estado de Goiás. Visitamos uma comunidade quilombola, formada há mais de um século a partir da fuga de pessoas que haviam sido escravizadas, que desde então vive relativamente isolada, à base de uma cultura de subsistência.

Percebi que viviam em terrenos com tamanhos semelhantes, quase como lotes-padrão, sem muros que os dividissem; cada um plantava aquilo de que precisava para sobreviver. Tinham também um pequeno rebanho de caprinos e algumas vacas e bois.

Perguntei para a integrante da comunidade que nos acompanhava como funcionava o sistema econômico local. Queria saber se utilizavam dinheiro. Ela disse que, obviamente, eles conheciam o dinheiro, mas na comunidade não o usavam para praticamente nada. Perguntei a seguir como funcionava o fluxo de riquezas na comunidade, se era na base das trocas. Eu disse: "No caso de você ter algo que colheu a mais e seu vizinho precisar daquilo, você vai lá e troca com ele?". Ela achou estranho: "Como assim, vou lá e troco?". Fiz novamente a pergunta, mudando um pouco a frase. Porém ela continuou sem compreender. Até que, ao perguntar pela terceira vez, ela me disse: "Mas por que eu vou trocar com ele? Se eu tenho algo a mais, de que não preciso, e meu vizinho está precisando daquilo, eu vou lá e dou para ele, não preciso trocar. Sei que ele fará isso por mim também quando eu precisar"

O SURGIMENTO DOS MERCADOS

Tive ali uma aula prática da lei da reciprocidade e da redistribuição, tão bem descritas na primeira metade do século passado por Karl Polanyi em sua obra *A grande transformação* e ainda verificável em pleno século XXI em comunidades isoladas.

Vejam que existe, nessa comunidade quilombola que visitei, um sistema de trocas e até mesmo um mercado incipiente. Mas eles somente fazem sentido como meio para que todos possam ter aquilo de que precisam para viver bem. A prioridade da comunidade é a sobrevivência do grupo.

Voltemos às comunidades remotas do exemplo inicial. Para que o sistema de trocas fosse eficiente, era preciso que existisse algo que pudesse ser trocado por tudo. Uma "moeda" comum. Foi dessa necessidade de facilitar o fluxo de riquezas que nasceu o dinheiro.

Ao analisar registros deixados por nossos antepassados, podemos verificar que o processo foi exatamente assim. Um desses registros deixados em sânscrito, os textos *Vedas*, mostra o gado como pioneiro nessa função de moeda, ou seja, algo que pudesse ser trocado por tudo. Daí, alegam alguns, a palavra "capital", que tem sua origem no latim *capita*, ou cabeça (de gado). É agora que daremos o primeiro grande passo conceitual nesta caminhada para compreender o funcionamento dos sistemas econômicos dos dias atuais.

A moeda surge para facilitar o mecanismo de troca, que existia para garantir que as práticas de redistribuição de riqueza acontecessem de forma eficiente e, assim, todos pudessem ter condições de sobreviver da melhor maneira possível, garantindo com isso a força do grupo. De modo diferente de como a vemos

DESIGUALDADE

atualmente, a moeda não era um fim. Ninguém sonhava à noite com montanhas de moedas. Sonhavam todos com a sobrevivência ou talvez até com montanhas de comida. A moeda era somente um facilitador, uma "tecnologia" nova, desenvolvida para fortalecer a sociedade.

A riqueza da comunidade seguia exatamente a mesma. Era representada por tudo aquilo que conseguiam tirar da natureza e pelo trabalho que podiam empenhar para servir aos membros do grupo.

Agora, com as moedas, a circulação dessa riqueza passava a acontecer de forma mais dinâmica e organizada. Em termos de conceito de riqueza, nada havia mudado. Existia a riqueza gerada, a riqueza consumida e o consequente empobrecimento ou enriquecimento da comunidade.

No exemplo do parque de areia, a riqueza gerada (o que era retirado da natureza) é representada pela areia descarregada no parque; a riqueza perdida é a areia que cai para fora do parque; e a redistribuição de riqueza, a areia tirada dos montes para cobrir os buracos. Fica fácil, a partir de agora, explorar alguns conceitos que valem para os dias atuais.

Perceba que a quantidade de moeda disponível na comunidade não guarda, necessariamente, qualquer relação com a riqueza dessa comunidade. A riqueza depende unicamente da quantidade de bens e serviços à disposição da comunidade. Se mantivermos o mesmo número de moedas na comunidade e seus integrantes resolverem trabalhar mais, extraindo mais coisas da natureza para colocar mais bens e serviços à disposição do grupo, a comunidade enriquecerá, independentemente

O SURGIMENTO DOS MERCADOS

de ter ou não mais moedas. A única coisa que pode mudar é a relação de troca entre as moedas e os produtos, provavelmente fazendo com que uma mesma moeda possa ser trocada por mais produtos, ou seja, ela passará a "valer mais".

Da mesma forma, se o grupo estiver passando por um período de dificuldades – devido, por exemplo, a uma catástrofe natural que fez com que não conseguissem retirar da natureza mais frutos ou caçar mais animais –, de nada adiantará colocar mais moedas na comunidade, pois elas são apenas um veículo por meio do qual as riquezas são trocadas. A comunidade seguirá, portanto, pobre, só que com muitas moedas. Assim, mais moedas passarão a ser trocadas por menos produtos; quer dizer, valerão menos. Esses exemplos reúnem valiosos insights para compreender um dos temas mais discutidos em economia: o valor do dinheiro e a inflação.

Talvez para muitas pessoas ainda seja difícil compreender esses conceitos tão simples, porque deixamos de enxergar o dinheiro como "um meio" hoje em dia. Deixamos de sonhar com montanhas de maçãs ou laranjas, ou com assados de carne, e passamos a sonhar com montanhas de dinheiro.

O dinheiro, a moeda, passou a ser sinônimo de riqueza. O que, de certa forma, é um erro, inclusive matemático. Isso porque o conceito de riqueza parece estar ligado a algo absoluto. Uma comunidade *rica* tem tudo aquilo de que precisa para sobreviver com força e coesão – independentemente de ter poucas ou muitas moedas em circulação. Enquanto uma tonelada de carne tem a mesma função nutritiva para garantir a sobrevivência dos membros de um grupo, uma "montanha"

DESIGUALDADE

de dinheiro irá comprar quantidades diferentes dessa mesma carne ao longo do tempo. A carne, portanto, é uma medida de riqueza, o dinheiro, nem tanto.

Vejamos, por exemplo, o caso brasileiro. Proponho que o analisemos da mesma forma simples – como fazemos com essa comunidade rudimentar que estamos estudando aqui –, para inferir algumas relações e variáveis econômicas a partir dessa lógica. Não percamos de vista, porém, a alegoria do parque de areia, que usaremos várias vezes nas discussões a seguir, como também a simplicidade da comunidade ancestral que descrevemos, essencial para que os conceitos sejam facilmente compreendidos.

Muitas pessoas, legitimamente, vendo o exemplo de um país, como o Brasil, onde tantas pessoas passam dificuldades financeiras, costumam questionar de uma forma muito simples, mas provocativa: "Não seria o caso de o governo emitir mais dinheiro e distribuir para todos? Isso não acabaria com a pobreza?".

Alunos de economia teriam uma resposta na ponta da língua para essa pergunta: "Isso só geraria inflação!". Sem querer provocar os que responderiam dessa maneira, ouso afirmar que a maioria responde repetindo uma frase que um dia já ouviu, assim como eu mesmo passei grande parte da vida fazendo. Convido-os, porém, a não deixar de seguir o raciocínio que desenvolverei daqui até o fim do livro, pois chegaremos a conclusões interessantíssimas e provavelmente até novas para vocês. A resposta dos alunos de economia está, sim, certa: isso somente geraria inflação. Mas vamos entender por quê?

O SURGIMENTO DOS MERCADOS

Pois bem, voltando à nossa definição de riqueza do começo do texto, podemos perceber que mesmo se o governo emitisse mais notas e moedas e as colocassem em circulação, distribuindo para os mais necessitados, isso não faria com que as pessoas tivessem mais carne para comer ou mais casas para morar. A quantidade seria a mesma. A única diferença é que o veículo de troca, o dinheiro, existiria em maior quantidade e, consequentemente, teríamos de usá-lo em maior quantidade para trocá-lo pela parte que continuou constante. E, se você passa a precisar de uma quantidade maior de alguma coisa para trocar pela mesma quantidade de outra coisa, é porque o valor dessa coisa (o dinheiro) passou a ser menor em termos relativos. E essa desvalorização do dinheiro é o que chamamos de inflação.

Fica claro, portanto, que a maneira de fazer com que a situação da população melhore é gerar mais riqueza ou redistribuir a já existente. Exatamente como era o caso da nossa comunidade rudimentar. Caso optasse somente por gerar mais riqueza para ser distribuída (sem redistribuir a já existente), o país precisaria então (como a comunidade separada por milhares de anos da nossa) aumentar a quantidade de trabalho para extrair mais recursos da natureza, de mais trabalho para processar esses recursos e também de maior oferta de serviços disponibilizada por seus integrantes. Voltando ao exemplo do parque, seria preciso receber um novo carregamento de areia para cobrir os buracos.

Existem, entretanto, algumas diferenças fundamentais, com implicações interessantíssimas, entre o caso do Brasil atual e o da sociedade rudimentar de nosso exemplo, no que diz respeito ao processo de aumentar o trabalho e a extração

DESIGUALDADE

dos recursos naturais para gerar riqueza para a comunidade –, principalmente em relação à propriedade da terra e dos meios de produção. Nós os comentaremos mais à frente. Sigamos, somente por enquanto, nosso caso simplificado, em que basta o desejo de todos de aumentar a produção de bens para que riqueza seja gerada.

Suponhamos então que todos resolvam trabalhar mais para fazer com que o país acumule mais riquezas. Teremos mais pessoas, durante mais horas, extraindo minério das minas, colhendo laranjas, ordenhando leite, cortando árvores, construindo móveis e assim por diante. Imaginando um sistema fechado, sem comunicação com o mundo externo, teremos que a quantidade de bens e serviços à disposição das pessoas será maior do que antes. A quantidade de dinheiro à disposição seguirá, porém, sendo a mesma. O dinheiro passará, portanto, a "valer mais", de modo que todos poderão comprar mais coisas com o dinheiro que têm, fazendo com que os mais pobres passem a ter acesso também a um pedaço da riqueza.

Mas e se, por exemplo, todo o minério que foi extraído das minas for vendido para outro país? Como ficaria a situação?

Aparentemente isso poderia gerar alguma confusão ao leitor. Porque, nesse caso, a riqueza gerada (o minério) não estará mais dentro do sistema da comunidade e, ao mesmo tempo, podemos ter a impressão de que haverá uma quantidade extra de dinheiro injetada no sistema, proveniente dos recursos do país que comprou o minério. A pergunta então é: este caso seria similar ao que citamos anteriormente, no qual a quantidade de riquezas no país seguia sendo a mesma, e o governo emitiria

O SURGIMENTO DOS MERCADOS

dinheiro para distribuir para população, tendo como resultado somente a desvalorização do dinheiro, ou seja, a inflação?

Na verdade, não. Por um detalhe que será importantíssimo para que comecemos a compreender também as relações de câmbio e comércio entre os países –, ao decidir comprar minério do Brasil, o outro país precisará transformar a sua moeda naquela que é utilizada no Brasil – por exemplo, dólares em reais –, para que possa pagar pelo minério que irá adquirir na mina. Isso fará com que a demanda pela moeda brasileira seja maior do que era antes, para uma oferta de moeda em circulação que seguirá igual.

Com isso, duas coisas acontecerão. A primeira é que o preço da moeda brasileira aumentará em relação às outras moedas do mundo. A segunda é que, apesar de não ter mais o minério que deixou o país, haverá uma quantidade de dólares dentro do sistema, nas mãos de quem vendeu os reais para o indivíduo de fora que comprou o minério. Esses dólares não podem ser utilizados para comprar coisas no Brasil, onde a moeda é outra, mas têm a possibilidade de serem trocados por bens fora do país, como, por exemplo, um carro nos Estados Unidos. Eles representam, portanto, um acréscimo no estoque de riqueza do país.

Como consequência, dentro do país haverá um estoque de riqueza maior para a mesma quantidade de moeda, representando um maior valor da moeda localmente. Com isso, todos poderão comprar mais bens e serviços dentro e fora do país, com a quantidade de moedas que têm, porque suas moedas valem mais do que antes em relação aos bens e serviços do país e do resto do mundo. Podemos concluir, portanto, que, mesmo sem o minério, o país ficou mais rico depois dessa transação.

43

DESIGUALDADE

É basicamente assim que funcionam todas as relações de câmbio, as oscilações de preço que geram inflação e deflação em sistemas econômicos e também o processo de "acumulação" e "destruição" de riqueza na economia dos países.

Adiante, entraremos com mais detalhes sobre essa questão, com estudos de caso mais elaborados. Porém, somente para aguçar a curiosidade do leitor, vale dizer que é exatamente com essa lógica que podemos explicar o fato de que, todas as vezes que as pessoas ficam mais otimistas em relação ao país, a moeda do país se valoriza – no caso brasileiro, o "dólar cai". Isso acontece porque o otimismo nada mais é do que uma expectativa de que logo haverá mais riqueza no país. Com mais riqueza e a mesma quantidade de moedas, cada moeda passará a valer mais. E, assim, a relação entre nossa moeda e a dos outros países também vai se alterar, ocorrendo o que chamamos de *valorização cambial.*

4. O SURGIMENTO DA PROPRIEDADE PRIVADA DA TERRA E DOS MEIOS DE PRODUÇÃO

Até aqui, temos utilizado o exemplo de uma comunidade rudimentar de milhares de anos atrás para explicar conceitos e relações econômicas dos dias de hoje. Existe, porém, um fator fundamental relativo aos sistemas econômicos atuais que os distinguem daqueles das sociedades rudimentares do passado. Algo que fará toda a diferença nas relações que descreveremos a partir de agora. Mais do que isso, compreender esse fator nos permitirá entender também boa parte das relações de dependência e domínio social que existem hoje. Relações que são pouco compreendidas numa época em que os mitos referentes aos poderes quase infinitos atribuídos ao *livre mercado* parecem dominar o senso comum nos países capitalistas.

Em termos de lógica do sistema econômico, a principal diferença das comunidades de outrora para as de hoje é que, lá

DESIGUALDADE

atrás, a terra que fornecia as riquezas a serem distribuídas para todos na comunidade era simplesmente "a terra". Não era ainda "a terra de Fulano", como a conhecemos hoje.

Essa diferença surgiu apenas porque em determinado momento os indivíduos passaram a se intitular donos da terra. Ou, pelo menos, de pedaços delimitados dela. E isso mudou absolutamente tudo! (Não pretendo descrever neste livro qual momento foi esse, nem os motivos pelos quais isso aconteceu; há boa bibliografia sobre o assunto, como o próprio livro de Karl Polanyi já citado.)

No momento em que isso aconteceu – quando o indivíduo passou a ser dono de um pedaço delimitado de terra –, criou-se uma importante mudança de paradigma no que diz respeito às relações existentes entre os integrantes da comunidade. Isso porque, antes, o que precisava ser defendido era a força, a coesão, a saúde e o funcionamento adequado do grupo. Afinal, esse era o único ativo realmente importante para que todos tivessem aquilo de que precisavam para sobreviver: um bom grupo!

Se o grupo estivesse bem, ele extrairia da terra (algo externo a seu sistema) aquilo de que necessitava para sobreviver. E a terra seguiria sendo explorada até que, ao não oferecer mais as condições necessárias para atender à demanda do grupo, fosse substituída por outra terra. A terra era uma *variável* do problema a ser resolvido, enquanto o grupo era o *dado conhecido*. No momento em que a terra passa a ser propriedade deste ou daquele indivíduo (uma apropriação que não deixa de ser filosoficamente curiosa, dado que nem ela nem a maior parte do que ela oferece foi criada por este ou por aquele indivíduo), o processo de geração de riqueza sofre uma enorme mudança.

O SURGIMENTO DA PROPRIEDADE PRIVADA DA TERRA...

Se voltarmos ao exemplo do parque, podemos dizer que essa mudança ocorreu porque, a partir daquele momento, não bastava simplesmente decidir gerar mais riqueza quando uma comunidade precisasse de mais areia no parque para tapar os buracos que existiam. Era necessário que esse processo – o de geração de novas riquezas – fosse iniciado por aqueles que detinham as terras – os montes de areia – ou, posteriormente, os meios de produção.

Voltemos ao nosso exemplo do Brasil. Imaginemos que seja decidido hoje que o país iniciará um processo de geração de riqueza para que a nova riqueza gerada seja distribuída entre todas as pessoas, de modo a acabar com a pobreza. Se estivéssemos ainda no exemplo inicial deste livro, bastaria que todos da comunidade arregaçassem as mangas e saíssem à caça e à colheita. Porém, se os habitantes do país fizerem isso hoje em dia, serão imediatamente presos.

Isso porque não poderão pescar um peixe sequer em um lago que fique dentro da propriedade de uma outra pessoa. Não poderão colher frutas que não estejam no próprio quintal (imaginando que tenham quintais). Não poderão plantar sementes para cultivar qualquer cultura em terras que não sejam as suas. Não poderão caçar o gado que esteja atrás de uma cerca que delimite um terreno diferente do seu. Ou seja: se não forem proprietários das terras ou dos meios de produção, a única coisa que poderão fazer será simplesmente aguardar até que alguém lhes dê permissão para poder gerar riqueza.

5. O PROCESSO DE INVESTIMENTO

Nos dias de hoje, são apenas dois os donos das terras e dos meios de produção: o poder público e a iniciativa privada. Eles são, na nossa metáfora do parque de areia, os donos dos montes de areia. Deverá, portanto, ser um deles (às vezes os dois em conjunto) a dar o primeiro passo para que comece o processo de geração de riqueza (ou crescimento) em uma comunidade.

Isto porque esta é uma decisão que, nos dias de hoje, deve ser efetivamente tomada, não é um processo natural como na comunidade que temos usado como exemplo, em que o interesse do grupo era apenas que todos estivessem bem e fortes. E essa é uma decisão não tão óbvia como pode a princípio parecer – afinal, implica riscos para quem a toma.

O risco vem do fato de que aquele que toma a decisão deve ser necessariamente alguém com riqueza acumulada, que precisa abrir mão temporariamente de parte dessa riqueza para iniciar o processo de geração da nova riqueza. É o que chamamos de "investimento". Seria normal esperarmos isso do poder público.

DESIGUALDADE

Aliás, mais do que isso, essa deveria ser uma de suas atribuições contínuas, para que cada vez mais riqueza fosse gerada na comunidade, e os buracos do parque pudessem sempre ser preenchidos com areia nova.

O problema é que em muitos casos a capacidade de o poder público iniciar esse processo é limitada. Isso porque boa parte de suas riquezas – ou da areia de seu monte – foi parar em outros montes – por exemplo, os da iniciativa privada. Mais adiante trataremos do modo como essa transferência de riqueza acontece e quais são as suas consequências. Mas antes vamos entender como se inicia o processo de investimento e de geração de riqueza em uma comunidade.

Considerando que a capacidade de investimento do poder público é inferior à requerida pela comunidade, resta à iniciativa privada a decisão de complementar o processo, escolhendo fazer também sua parcela de investimento, ou aguardar condições melhores para, mais adiante, tomar essa decisão. Como seu estoque de riqueza está protegido pelas regras da comunidade e o bem-estar do grupo não é mais entendido como uma responsabilidade (e necessidade) de todos, a decisão passa a ter uma lógica egoísta e pragmática. Se for algo que tem boas chances de resultar em maior acúmulo de riqueza, deve receber investimento. Se não houver essa convicção, dificilmente a decisão de aplicar capital ou recursos será tomada.

Investir é uma decisão ainda mais complexa atualmente, porque, nas comunidades de hoje, é possível aumentar a própria riqueza simplesmente se beneficiando do fato de recursos estarem faltando para indivíduos do grupo. Isso acontece porque os

O PROCESSO DE INVESTIMENTO

recursos em excesso nas mãos dos ricos podem ser emprestados durante um período, para garantir a sobrevivência dos pobres em troca de um pedaço da pouca riqueza que estes têm (ou da que vierem a produzir). Essa é uma consequência direta do fato de a força da comunidade não ser mais uma corresponsabilidade dos integrantes individuais do grupo.

Esse processo poderia fazer com que a atividade econômica, de tempos em tempos, simplesmente parasse. Isso aconteceria nos momentos em que aqueles que têm o controle da riqueza acreditassem que não teriam grande chance de colher no futuro uma riqueza maior do que a investida inicialmente. Os mais ricos, nesses momentos, se limitariam a emprestar parte de sua riqueza àqueles que estivessem passando por dificuldades, em vez de investi-la em geração de nova riqueza. Isso, porém, só não acontece por um único detalhe, que garante que sempre haja um nível de investimento no sistema e alguma aptidão a risco para criação de nova riqueza por parte dos atuais donos da riqueza. Esse detalhe é o fato de a riqueza, como vimos no início deste texto, ser algo que naturalmente é consumido através do tempo e, portanto, deve ser reposta – caso contrário a sobrevivência se torna impossível.

Não devemos jamais perder de vista – e esta é a principal ideia deste livro – os conceitos de riqueza e de dinheiro que descrevemos anteriormente. O dinheiro, apesar de encarado erroneamente como riqueza, é somente um meio por onde a riqueza flui. Mas não é riqueza.

De modo que, se imaginarmos um país que simplesmente parou de investir porque os donos dos meios de produção e das terras acreditam não ser um bom momento para arriscar,

DESIGUALDADE

a riqueza existente no país será gradualmente consumida. E, por mais que os indivíduos ricos da comunidade possam simplesmente emprestar seu dinheiro enquanto aguardam condições melhores para investir na criação de riqueza, de nada adiantará aumentar a quantidade de dinheiro se faltarem bens e serviços para comprar.

Façamos um exercício hipotético: se o investimento em uma comunidade cai a zero, o que existe de riqueza nessa comunidade é o que há para sustentar a vida de todos – mas somente enquanto durar. Os estoques de carne, leite, milho, soja, a borracha dos pneus dos automóveis, a gasolina, tudo, absolutamente tudo, vai sendo consumido pelo tempo. Se você que me lê tem alguma dúvida disso, sugiro que visite, mesmo pela internet, as ruínas de alguma grande civilização antiga. Não haverá nada, ou quase nada de riqueza que tenha sobrado, capaz de sustentar outra civilização que lá chegasse hoje em dia.

Logo, para garantir a própria sobrevivência, cada indivíduo precisa dar sua contribuição para que o nível de investimento em criação de riqueza nunca seja igual a zero. E isso faz com que naturalmente todos em uma sociedade, mesmo que seja estruturada da forma como são as sociedades de consumo capitalistas atuais, tenham sempre algum apetite para investir.

Vale lembrar que o investimento nos tempos de hoje passou a ser feito de diversas maneiras, dependendo de qual papel você ocupa na estrutura social. Enquanto antigamente este investimento para gerar riqueza era a atividade laboral de cada indivíduo, onde cada integrante tinha a possibilidade de "arregaçar

52

O PROCESSO DE INVESTIMENTO

as mangas" e sair em busca de riqueza, hoje não é simplesmente uma questão de vontade ou motivação pessoal. É também uma questão de permissionamento e de tomada de decisão por parte de alguns poucos indivíduos do grupo.

Passamos, assim, a ter de um lado aqueles que possuem riquezas – e oferecem parte dela (suas terras e máquinas, por exemplo) como investimento inicial no processo – e aqueles que não as possuem e oferecem seu trabalho em troca de um pedaço da riqueza que gerarão para aqueles que os contratarem. A possibilidade do trabalho, portanto, passa a depender da permissão dos donos das terras e dos meios de produção; não é mais uma decisão pessoal.

É claro que o mundo real tem muitos tons de cinza entre esses dois extremos. Nas sociedades em geral, muitos têm a propriedade dos meios e também trabalham, e muitos começam oferecendo somente seu trabalho e vão aos poucos passando à condição de donos de terras e de meios de produção. Mas, curiosamente, o tempo parece levar as sociedades cada vez mais para o distanciamento entre os que dispõem dos meios e os que não os possuem – ou seja, está mais para preto e branco do que para os tons de cinza. O caminho natural, desde que a terra e as outras fontes de riqueza passaram a ter donos, passou a ser em direção a uma desigualdade cada vez maior, e não menor. Exploraremos mais adiante possíveis razões que podem explicar os motivos para isso.

Voltemos à nossa sociedade moderna, na qual verificamos que sempre existe disposição de investir na geração de nova riqueza e quando, em alguns momentos, as condições parecem

DESIGUALDADE

favoráveis, essa disposição aumenta. Vejamos como funciona o processo nesses momentos em que os donos dos meios resolvem investir mais intensamente na produção, para que possamos compreender como essa riqueza gerada se distribui entre os membros da comunidade.

6. O PROCESSO DE GERAÇÃO DE RIQUEZA

Somos capazes de perceber quando uma comunidade experimenta períodos de crescimento e geração de riqueza. Mas será que realmente compreendemos como funciona esse processo? Para responder a essa pergunta, sugiro seguirmos trabalhando com um exemplo simples. Imaginemos que nossa comunidade fosse agora composta por somente quatro pessoas. Duas delas, ricas, donas das terras e dos meios de produção, e duas delas pobres, sem terras nem meios de produção. Suponhamos ainda que uma das pessoas ricas tem uma fábrica com maquinário para produzir carros; a outra tem uma construtora de casas de madeira. A que tem a fábrica de carros é também dona da mina de onde se extrai o minério de ferro que permitirá a construção de todas as peças do carro. E o dono da construtora é dono das florestas de onde sairá a madeira para construir as casas comercializadas pela sua empresa.

DESIGUALDADE

Uma das pessoas pobres de nosso exemplo trabalha na fábrica de carros e é responsável sozinha (lembre-se de que este é um exemplo simplificado) por todo o trabalho de produção do automóvel, desde a retirada do minério da mina até a montagem do automóvel. Sua maior necessidade pessoal é comprar uma casa. O outro personagem pobre trabalha na construtora. É também o responsável, sozinho, por todo o processo de construção da casa, desde a retirada da madeira até o levantamento da edificação. Ele precisa comprar um carro.

O dono da fábrica e o dono da construtora, percebendo um bom momento naquela sociedade, resolvem investir, iniciando um processo de geração de riqueza com a construção de uma casa e de um automóvel. Para que nosso exemplo fique ainda mais didático, vamos tirar completamente o dinheiro da história. Vamos compreender o processo inteiro como um fluxo de criação e redistribuição de riqueza entre os participantes da nossa sociedade.

Suponhamos que, para pagar o serviço de cada um dos trabalhadores, os donos de empresa vão dar cem pães que guardam em seu estoque pessoal. Eram pães que seriam usados em algum momento para saciar sua necessidade básica de alimentação, mas cada um dos donos abre mão de ter os pães, por algum tempo, para poder vê-los, potencialmente, retornar em maior quantidade adiante. Os trabalhadores aceitam os pães em troca da oferta de trabalho, e os usarão para se alimentar; produzem então um carro e uma casa.

A riqueza dessa comunidade passou a ser acrescida desses dois bens: um automóvel e uma casa. Ao mesmo tempo, diminuiu a riqueza correspondente à quantidade de pães que foram consu-

O PROCESSO DE GERAÇÃO DE RIQUEZA

midos pelas quatro pessoas naquele período. É importante notar que somente os pães consumidos representam uma diminuição de riqueza da comunidade, já que os que foram usados como pagamento representam uma transferência de riqueza entre membros da comunidade.

O carro e a casa são colocados à venda. Como as terras e as empresas de nosso exemplo têm agora donos – ao contrário dos exemplos iniciais deste livro, onde a terra não era de ninguém –, a riqueza produzida nessas terras e empresas passa também a ser dos proprietários. Quer dizer, agora, os responsáveis por gerar a nova riqueza não têm mais direito ao que geraram, uma vez que já foram pagos por seu trabalho.

Vejam que interessante: há uma mudança na ordem em que o processo redistributivo de riqueza acontece. Se antes a riqueza era primeiramente gerada para posterior distribuição, o que passa a acontecer com a propriedade dos meios de produção e da terra é que primeiro há uma pequena distribuição para depois não haver mais nenhuma, qualquer que seja a riqueza gerada.

A quantidade de riqueza que será exigida em troca da casa e do carro depende agora da vontade dos donos da fábrica e da construtora. Lembrem-se de que nossa comunidade não possui dinheiro, de que todas as relações acontecem na base da troca de riqueza entre seus membros. Suponhamos que eles decidam que o carro e a casa serão vendidos por mil pães cada um. Os trabalhadores, porém, não têm essa quantidade de pães para comprar o carro ou a casa. Possuem somente noventa pães cada um. Eles receberam cem, mas, como já vimos, a riqueza vai sendo consumida através do tempo, e eles já precisaram comer dez pães para sobreviver.

DESIGUALDADE

Resta a possibilidade de comprar o carro e a casa, e cada um dos trabalhadores ficar devendo 910 pães para os donos das empresas. Só que essa riqueza, os 1.820 pães, não existe no nosso sistema. E foi exatamente para perceber isso, para entender com mais clareza as implicações que surgem da transferência e geração de riqueza em um sistema, e as relações de dependência que esse processo pode gerar, que retiramos o dinheiro de nosso exemplo.

O que precisará ser feito já que não há os 1.820 pães necessários para que o carro e a casa sejam comprados pelos trabalhadores? A solução será fazer com que os dois indivíduos pobres sigam trabalhando, desta vez fabricando pães. Assim, eles poderão gerar a riqueza que não existe no sistema e pagar os pães que devem.

Só que os trabalhadores terão dois problemas para fazer isso. O primeiro é que eles não são os donos da plantação de trigo nem da água de que precisam para fazer o pão. Logo, precisarão pagar aos donos da terra (nessa comunidade de quatro pessoas, eles são os mesmos donos da fábrica e da construtora) uma parcela dos pães que produzirem em troca do uso da terra. E também precisarão de pães para uso pessoal, de modo que precisarão produzir ainda mais pães do que somente os que devem em função da compra da casa e do automóvel.

Isso tudo fará com que produzam uma quantidade ainda maior de pães para os donos das terras. Os pães que ficarem para os funcionários como parte da riqueza por eles gerada ao utilizar as terras e os meios de produção dos indivíduos ricos de nosso exemplo é o que conhecemos pelo nome de "salário".

O PROCESSO DE GERAÇÃO DE RIQUEZA

Os donos das terras receberão de volta, cada um, mil pães referentes à venda dos automóveis, além dos pães que receberão em troca da permissão para os trabalhadores usarem suas terras para fabricar os pães. Todos esses pães gerados são um acréscimo à riqueza inicial de nossa comunidade, além do carro e da casa que foram produzidos no período.

Resumindo: para a geração de toda a nova riqueza – 1.820 pães, um carro, uma casa, e os pães que foram cobrados pelo uso da terra –, foi necessário um investimento inicial de duzentos pães. Os donos dos meios de produção e da terra não trabalharam, mas multiplicaram sua riqueza várias vezes, ficando com a maior parte da riqueza total, que foi gerada na comunidade.

Os que não tinham riqueza agora têm alguma (o carro e a casa), mas de uma forma curiosa. Isso porque fizeram totalmente o trabalho que lhes daria a remuneração necessária para adquirir aquilo de que precisavam; porém, como não podiam ficar com o resultado do próprio trabalho, foram obrigados a gerar grande riqueza adicional para adquiri-lo. Quase toda essa riqueza adicional, gerada por eles mesmos, criada para atender à necessidade de adquirir o que eles mesmos produziram mas não possuíam, parou nas mãos dos que já eram ricos – os quais, agora, com uma parcela ainda maior da riqueza, terão um controle ainda maior do processo. E tudo isso porque a terra e os meios de produção tinham donos. Não fosse assim, teríamos uma situação final muito diferente em relação à distribuição da riqueza gerada.

Apesar de termos simplificado todas as variáveis de nosso exemplo, nem por isso ele é menos importante para demonstrar como a propriedade da terra e dos meios de produção causaram

DESIGUALDADE

importantes mudanças na dinâmica de criação e distribuição de riqueza nas comunidades. Fica claro no exemplo que a relação de dependência entre os que não possuem e aqueles que possuem os meios de produção acarreta dois efeitos para toda a comunidade: um gerador e outro concentrador de riqueza.

Isso acontece porque os mais pobres precisam trabalhar para gerar o que vai lhes permitir sobreviver. Como boa parte do que geram não fica com eles, acabam gerando um acréscimo de riqueza relevante na comunidade, que, por sua vez, flui para aqueles que já são mais ricos. Como rios que correm naturalmente para o mar.

Existem, porém, no mundo real, mecanismos que atuam para amortecer tais efeitos de concentração de riqueza, redistribuindo parte de toda a riqueza que é gerada nas comunidades. Como, por exemplo, os impostos.

Antes, porém, de entrar nesse assunto, vamos compreender os principais motivos pelos quais a humanidade desenvolveu duas características em suas relações sociais que, de certa forma, perduram até os dias de hoje, moldando seu comportamento econômico: a reciprocidade e a redistribuição de riqueza. Para isso, precisamos voltar no tempo, até a nossa comunidade rudimentar, que vivia de colher e caçar numa terra que não tinha donos.

Sobreviver naqueles tempos era um enorme desafio. As incertezas eram gigantes e o resultado das caçadas e colheitas era absolutamente imprevisível. Uma tarefa, porém, que se tornava mais fácil quando o grupo inteiro se ajudava. Basicamente, ninguém conseguiria sobreviver se dependesse somente da riqueza que gerasse diariamente. Era necessário, portanto, contar tam-

O PROCESSO DE GERAÇÃO DE RIQUEZA

bém com o sucesso dos outros companheiros da comunidade para diluir o risco. Animais selvagens fazem isso naturalmente, caçam em grupo e independentemente de quem for o felizardo da caçada, o resultado é dividido por todos. Desse modo, todos garantem que terão o que comer todos os dias.

Assim, era preciso num dia abrir mão de parte do que se conseguia, em favor dos outros no grupo, sabendo que chegaria a vez de não ter nada em mãos e precisar receber do grupo. Daí a reciprocidade que naturalmente surgiu e impregnou-se nos genes de nossa espécie.

Era necessário que a distribuição de riqueza fosse realizada de forma a garantir a sobrevivência do grupo inteiro, para que todos seguissem saudáveis e continuassem caçando, colhendo e lutando, para aumentar a chance de todos sobreviverem. Normalmente, um líder assumia o papel distributivo das riquezas geradas. Era uma pessoa com um papel hierárquico importante, cujas decisões eram respeitadas por todos.

Ainda hoje existe uma figura central que desempenha a função de distribuir a riqueza gerada pelo grupo, seja ele um país ou uma cidade: o "poder público", o Estado. O poder público, portanto, tem a faculdade de recolher e dividir riquezas dentro de uma comunidade para garantir que todos sejam capazes de sobreviver com as condições necessárias para que o grupo siga da maneira o mais forte possível. Exatamente como era no tempo de nossos antepassados.

Na verdade, há uma grande diferença, que já destacamos anteriormente: a existência da propriedade privada. Ou seja, existe uma limitação, uma linha de corte, uma barreira, que indica

DESIGUALDADE

até onde o poder público pode recolher a riqueza existente para distribuí-la de maneira a tornar o grupo o mais forte possível.

Curiosamente, a linha que traça o limite que pode ser recolhido de riqueza para ser redistribuído entre o grupo não guarda grande correlação com as necessidades mínimas de sobrevivência dos indivíduos com maior dificuldade. Não é uma função da fragilidade do grupo. É uma função que depende somente do estoque e da geração de riqueza, principalmente dos que detêm os meios de produção, os chamados "ricos".

Em outras palavras, se existem dez, mil ou cem mil pessoas na comunidade prestes a morrer, isso não fará diferença alguma em relação à quantidade de riqueza a ser redistribuída – dado que ela é uma função do quanto é permitido pegar dos que têm riqueza em excesso –, mesmo que sobre muita riqueza nas mãos dos ricos e falte o mínimo necessário para parte do grupo sobreviver. Esse fato revela uma mudança de paradigma importante em relação aos nossos antepassados, já que o objetivo a ser perseguido pela sociedade não é mais fazer o grupo mais forte possível para sobreviver à jornada, e sim gerar a maior riqueza possível individualmente para os que detêm os meios de produção.

Fica claro que o interesse de distribuir ou redistribuir a riqueza passa a ser quase exclusivo dos governos, que não só deixam de contar com o suporte de todos da comunidade para realizar esta distribuição (como acontecia nas sociedades rudimentares), mas passa também a ter um opositor, um inimigo nessa batalha para distribuir riqueza: os donos das terras e dos meios de produção.

O PROCESSO DE GERAÇÃO DE RIQUEZA

Esse embate acontece por dois motivos. Em primeiro lugar, porque passa a existir uma corrida pela propriedade das terras e dos meios de produção, dado que, como vimos no exemplo do automóvel e da casa, isso passa a representar o direito de escolha sobre quais caminhos o grupo seguirá. Algo como um importante direito a voto, não compartilhado por todos.

Em segundo lugar, porque a quantidade de terras e dos meios de produção é finita e, portanto, a única maneira de um dos participantes (o poder público ou indivíduos ricos) aumentar seu poder é diminuindo o do outro.

Como o aumento do poder público representa uma maior preocupação com a sobrevivência e com a força do grupo (como era nas comunidades rudimentares), isso pode implicar uma necessidade de redistribuição que afete as riquezas e, consequentemente, o poder decisório dos indivíduos ricos. Assim, os donos das terras e dos meios de produção passam a defender suas riquezas com todo ímpeto, enquanto o poder público passa a ser visto por esses indivíduos como um verdadeiro adversário.

7. A REDISTRIBUIÇÃO DE RIQUEZAS NO MUNDO MODERNO

Os impostos são o principal elemento de redistribuição de riqueza nas sociedades modernas. Basicamente, incidem de três maneiras: na acumulação da riqueza, no fluxo de riqueza e no estoque de riqueza. São respectivamente os impostos sobre renda e ganho de capital, sobre bens e serviços e sobre patrimônio. Eles existem para que se possa recolher riqueza da sociedade ao poder público para, posteriormente, devolver do poder público à comunidade sob a forma de bens e serviços que fortaleçam o grupo. Usando o exemplo citado no capítulo anterior, do fabricante de carros, do construtor de casas e de seus funcionários, podemos explicar a cobrança dos impostos da seguinte maneira:

- *Imposto sobre acumulação de riqueza:* seria recolhida, para posterior redistribuição, parte dos pães que os donos das terras e das empresas ganharam como resultado do inves-

DESIGUALDADE

timento inicial de cem pães no trabalho dos empregados e parte dos pães recebidos pelos trabalhadores.

- *Imposto sobre fluxo de riqueza:* seria recolhida, para posterior redistribuição, parte dos pães pagos pelo trabalho dos empregados, pela compra dos automóveis e pelo uso da terra para a produção de pães.
- *Imposto sobre estoque de riqueza:* de tempos em tempos seria recolhida para redistribuição parte das terras, dos automóveis, dos equipamentos e dos pães estocados pelos quatro membros da comunidade.

Percebam que os impostos pagos sobre os pães ganhos pelos donos das empresas, apesar de aparentemente saírem de suas riquezas, foram de certa forma pagos pelo trabalho de seus empregados, dado que foram eles que geraram toda a nova riqueza dessa comunidade. Ou seja, os mais pobres pagam seus próprios impostos diretamente e os impostos dos mais ricos indiretamente, pois a riqueza utilizada para pagá-los é também fruto de seu trabalho.

Fica claro pelo exemplo que os impostos que teriam mais potencial para contribuir com um reequilíbrio das riquezas dessa comunidade seriam os impostos sobre acumulação de riqueza e os impostos sobre os estoques de riqueza. Ou, da forma como os conhecemos, os impostos que incidem sobre "renda e ganho de capital" e sobre "patrimônio".

Se houve um tempo em que existia uma pessoa, uma liderança responsável pelo processo de redistribuição de riquezas, hoje isso é feito pelo poder público, quer dizer, pelos governos. Esses governos são compostos por um grupo de pessoas cuja

A REDISTRIBUIÇÃO DE RIQUEZAS NO MUNDO MODERNO

atuação é regida por leis que, além de direcionar sua atuação, também a restringem, limitando, assim, os poderes individuais dos que estiverem, temporariamente, transitando pelo poder. Essas leis, por sua vez, são elaboradas pelos representantes da comunidade indicados ou eleitos para a tarefa. Esses indivíduos inevitavelmente farão parte do grupo dos donos das terras e dos meios de produção ou dos indivíduos que trabalham para eles. São os grupos que passaram a existir a partir do momento em que as terras e os meios de produção passaram a ter donos.

Como, durante muito tempo, a regra para determinar quais seriam as pessoas que representariam esse "poder público" era a da indicação por aqueles que detinham maiores riquezas na comunidade, criou-se um ciclo de maior e maior acumulação de riquezas nas mãos desses indivíduos. Isso porque as leis eram criadas para estimular o processo de acumulação de riqueza por uma parte pequena da sociedade – promovendo, assim, uma desigualdade cada vez maior.

No entanto, subestimou-se o papel que a força do grupo ainda exercia nos caminhos possíveis a serem seguidos pela comunidade. Houve momentos históricos em que grande parcela da comunidade ficou fraca a ponto de ter sua sobrevivência ameaçada, até que explodiram revoltas que quebraram o ciclo de concentração de riqueza e trouxeram de volta algum equilíbrio para o sistema. Aparentemente, os "genes" ainda carregavam a lembrança de que um grupo forte era o objetivo maior a ser perseguido para que todos tivessem mais chances de sobreviver às dificuldades – mesmo após a confusão que os novos elementos "mercado" e "dinheiro" trouxeram para a cabeça das pessoas.

DESIGUALDADE

É fácil notar que um dos efeitos de quase todas as grandes guerras que aconteceram no mundo – principalmente nos tempos modernos – foi o de redistribuir riqueza. E o motivo é muito simples: guerras são quase sempre um ataque direto à propriedade privada. Ao atacar esse direito, inevitavelmente ataca-se também a engrenagem em curso que concentra riqueza. Vejamos o exemplo do século passado.

A desigualdade no mundo era absolutamente extrema no final do século XIX e início do século XX. A maioria das grandes nações acabara de abolir os sistemas de escravidão ou servidão e substituí-los pelo da "escravidão econômica".

Eram tempos em que a maioria da população não detinha terras ou meios de produção e trabalhava, em troca de muito pouco, para aqueles que eram proprietários. O mundo vivia as consequências da Revolução Industrial, que, àquela altura, um século depois de seu começo na Inglaterra, já havia mudado a cara de todas as nações. Era um mundo cuja lógica mostrava-se muito semelhante àquela que vimos no exemplo da comunidade com o fabricante de automóveis e o construtor de casas.

Estouram então, na primeira metade do século XX, duas grandes guerras de proporções mundiais (a primeira, de 1914 a 1918, e a segunda, de 1939 a 1945). No período imediatamente anterior a elas, os impostos aumentaram nos países envolvidos, para que esses países pudessem financiar suas atividades bélicas. Os conflitos destroem empresas, arruínam terras e ceifam boa parte das grandes riquezas (criando algumas poucas outras também, é verdade). E os períodos após as guerras exigem impostos altíssimos nos países participantes dos conflitos para reconstruir o que foi destruído.

A REDISTRIBUIÇÃO DE RIQUEZAS NO MUNDO MODERNO

A maioria das pessoas desconhece o fato, mas as alíquotas mais altas de imposto sobre a renda ultrapassaram os 70% nos EUA e na Inglaterra logo após a Primeira Guerra Mundial. Chegaram a ser superiores a 90% nesses países após a Segunda Guerra. Assim, o resultado direto dessas políticas de "taxação" foi um decréscimo enorme da desigualdade de distribuição de riqueza entre os mais ricos e os mais pobres ao longo de quase todo o século passado.

Percebam que a intenção aqui não é discutir se a desigualdade existente no mundo foi ou não um dos motivos que levaram às duas grandes guerras do século passado. O objetivo é mostrar que, historicamente, todas as vezes que a desigualdade de riqueza atingiu certo ponto – colocando em risco a sobrevivência de uma parcela da população –, aconteceu algum evento que acabou levando forçosamente a uma redistribuição da riqueza. Ou pode ser que tudo seja somente uma grande coincidência.

8. AS CONSEQUÊNCIAS POLÍTICAS DA DESIGUALDADE

A escalada de conflitos ocorridos nas comunidades que foram ao limite da desigualdade levou a uma importante mudança estrutural nesses grupos. Ela fez com que surgisse uma nova fórmula para indicar aqueles que ocupariam o papel de distribuição das riquezas das comunidades, os titulares do poder público. Apareceu uma fórmula que visava a trazer de volta ao grupo o equilíbrio perdido após o surgimento da propriedade privada e seu consequente ciclo de acumulação de riqueza nas mãos de poucos indivíduos, que resultava inevitavelmente na fragilização ou na destruição do grupo. A novidade foi o estabelecimento do direito ao voto para todos os cidadãos da comunidade, que poderiam a partir de então eleger os responsáveis pelas regras e ações que pautariam a distribuição de riqueza.

Assim, a lógica fazia imaginar que (tendo cada indivíduo o mesmo poder de contribuir para a indicação dos que executa-

DESIGUALDADE

riam a tarefa) todos estariam sempre representados e, mesmo com a existência da propriedade privada, protegidos, como era no princípio.

A medida prometia garantir que o grupo seguisse sempre integralmente forte, e seria esta força a responsável pelo avanço da comunidade. Em outras palavras: a preponderância do *poder* democrático sobre o *poder da propriedade* seria a *nova regra em vigor*, num contexto em que ambos os poderes coexistiriam harmoniosamente pelo bem do grupo.

Alguns países no mundo conseguiram seguir essa lógica ao longo da última metade do século passado, e o resultado não ficou nem um pouco abaixo de espetacular em termos do desenvolvimento que atingiram. Talvez o melhor exemplo tenha sido o dos países no norte na Europa. Lá, a propriedade privada ainda existe e é respeitada. Mas os processos de redistribuição de renda, visando a não permitir a existência de camadas frágeis que enfraqueçam o grupo, somados a sistemas democráticos representativos e transparentes, colocaram tais países nos primeiros lugares do mundo em todos os rankings que medem qualidade de vida e força da comunidade.

É curioso notar que nas listas que trazem os dez países com melhor sistema de educação, saúde, segurança, menor corrupção, melhor índice de desenvolvimento humano e vários outros indicadores sociais, quase sempre os países nórdicos estão presentes. E quando analisamos as listas que trazem os indivíduos mais ricos do mundo, dificilmente acharemos um indivíduo desses países. Por outro lado, encontraremos habitantes de vários outros países onde, mesmo havendo um sistema democrático

AS CONSEQUÊNCIAS POLÍTICAS DA DESIGUALDADE

de votação, os donos das terras e dos meios de produção encontraram maneiras de tomar o controle de todo o processo distributivo e redistributivo de riqueza.

Lembremos nossa discussão anterior sobre o processo de crescimento e geração de riqueza de uma comunidade. Vimos que isso exige sempre algum gasto inicial de riqueza para resultar em uma riqueza maior no futuro. É o que chamamos de investimento. Vimos também que em qualquer comunidade sempre haverá alguma disposição para investir, dado que o estoque de riqueza de todo e qualquer grupo é consumido pelo tempo e, portanto, há uma necessidade de sobrevivência que deve ser atendida pela geração de *nova riqueza*.

Vimos que este dispêndio inicial de riqueza, ou seja, o investimento, deve vir de quem detém as riquezas na comunidade, seja o poder público ou os indivíduos que possuem as terras e os meios de produção. E que os outros integrantes da comunidade, os que não dispõem de riquezas para investir, têm como alternativa somente aguardar os momentos em que esses investimentos sejam decididos, para oferecer seu trabalho no processo de criação de riqueza em troca de um pedaço da riqueza que será gerada.

Em uma sociedade democrática, representativa dos interesses do grupo como um todo, a disposição de investir por parte do poder público não deveria sofrer grandes variações ao longo do tempo – afinal, a necessidade de geração de riqueza para atender aos interesses de todos do grupo é algo que sempre existirá. No entanto, do lado dos donos das terras e dos meios de produção, a disposição só existirá quando as condições se mostrarem vantajosas.

DESIGUALDADE

O problema é que estes interesses podem ser conflitantes, apesar de muitas pessoas terem dificuldade em enxergar isso. O conflito acontece porque, à medida que o investimento do poder público, visando à criação e distribuição de riqueza para todos, é bem-sucedido, a propriedade privada e os meios de produção passam a ser mais bem distribuídos entre os integrantes do grupo. Isso acaba tirando poder decisório dos ricos e enfraquece essa máquina concentradora de riqueza.

Desse modo, os donos das terras e dos meios de produção criaram mecanismos aparentemente inofensivos que funcionariam como um vírus infiltrado na máquina pública, e que fariam com que, ao longo do tempo, duas coisas viessem a acontecer: o poder público se transformaria em um instrumento concentrador de renda, e a riqueza nas mãos do poder público (ou seja, aquelas de propriedade de todo o grupo) seria lentamente passada para o poder privado sem que ninguém percebesse. São mecanismos tão eficazes que, mesmo hoje, pouquíssimas pessoas os percebem, por isso seguem cumprindo seu papel de concentrar riqueza nas mãos dos mais ricos e saquear as riquezas que estão em posse do poder público.

O principal desses mecanismos é o endividamento do Estado: uma máquina brilhante de dilapidar o bem comum e alocar ainda mais riqueza nas mãos dos que já a concentram.

Mas como surgiu e como funciona essa máquina tão engenhosa e eficiente a serviço dos ricos da comunidade? Tudo começa em nome do tal do "progresso". Os membros dominantes da comunidade, os donos das terras e dos meios de produção, convencem todos no grupo de que as novas descobertas e pos-

AS CONSEQUÊNCIAS POLÍTICAS DA DESIGUALDADE

sibilidades tecnológicas exigem que o grupo, como um todo, abra mão de uma parte de seu estoque de riqueza para investir na criação de novas riquezas.

Foi assim no descobrimento dos novos continentes, na Revolução Industrial e em vários outros momentos da história. Só que, nesses momentos – alegam os donos dos meios –, como o risco é grande e o benefício do investimento será para todos, a iniciativa de investir deve partir do poder público. Em outras palavras, deve-se usar o estoque de riqueza do grupo, e não o estoque dos indivíduos mais ricos.

O poder público, porém, não possui as riquezas necessárias para fazer o investimento exigido para que o tal "progresso" aconteça e beneficie "todos". A única solução, portanto, seria que o poder privado, ou seja, os donos das terras e dos meios de produção, contribuíssem também, investindo parte de suas riquezas junto com o poder público.

E é exatamente aí que uma ideia brilhante surge: o vírus do qual falamos há pouco. Os donos dos meios de produção, em vez de *investirem* parte de suas riquezas junto com o poder público – o que implicaria o risco de perdê-las –, oferecem *emprestar* suas riquezas ao poder público! *Voilà!* A mágica está feita! Agora é só aguardar os efeitos que virão no decorrer do tempo.

Há ainda um detalhe de crueldade nesse mecanismo de endividamento do poder público. Os recursos obtidos com os donos dos meios de produção, em vez de serem utilizados para o tal progresso que deveria beneficiar a todos, são utilizados para iniciativas que beneficiam majoritariamente os mais ricos. Como, por exemplo, levar energia elétrica ou pavimentação para as regiões onde

DESIGUALDADE

moram os ricos ou onde estão suas fábricas, em vez da realizar melhorias na periferia, onde moram os mais pobres. É como se em vez de gastar o seu próprio dinheiro para fazer uma obra de que necessitam, os mais ricos tenham encontrado uma maneira de fazer com que o Estado faça por eles e depois ainda lhes pague por esta obra (através dos juros da dívida). Em outras palavras, mais do que conseguir fazer a obra de que necessitam de graça, eles ganham dinheiro para tê-la feita.

O endividamento do poder público significa também que uma parte da riqueza gerada pela comunidade e coletada em nome de todos deverá ser distribuída somente para um "grupo seleto" de membros da comunidade, através do pagamento da dívida. Uma parcela que somente cresce com o tempo em função dos juros.

Depois de contraída a dívida com os donos das terras e dos meios de produção, só existem duas maneiras de o poder público conseguir pagar o que deve. A primeira é aumentando os impostos – como vimos, a porcentagem com que cada membro da sociedade tem de contribuir sobre as riquezas que gera ou que tem em estoque. A segunda é pagar com riquezas que foram acumuladas no passado em nome do grupo, como fruto do trabalho do grupo e para servir ao grupo. Mas que, agora, devem descumprir seu propósito inicial para atender a um compromisso assumido "ingenuamente" em benefício de todos.

Agora endividado e, por causa do pagamento dos juros, com uma quantidade de riqueza muito menor do que antes (insuficiente até mesmo para quitar suas dívidas), o poder público está com sua capacidade de investimento combalida. No entanto, o grupo precisa que os investimentos sigam sendo feitos; afinal,

AS CONSEQUÊNCIAS POLÍTICAS DA DESIGUALDADE

a riqueza existente está sendo consumida e isso pode arruinar o grupo como um todo, principalmente arruinar a vida daqueles que não detêm terras nem meios de produção. Todos, inclusive o governo, passam a ficar dependentes, portanto, dos donos das terras e dos meios de produção, os únicos que podem contribuir com o investimento necessário para gerar a riqueza que atenderá as necessidades do grupo.

Percebam que genial: é um processo que leva naturalmente quem criou o problema para o grupo a surgir como o único que pode solucioná-lo. E faz com que ele passe a ser visto como "o salvador" em potencial do grupo, passando a ser estimado e venerado por todos os membros da comunidade.

Há dois resultados imediatos desse processo para os donos das terras e dos meios de produção. O primeiro é o aumento do poder de barganha que passam a ter com os indivíduos que ocupam posições de decidir e de criar as regras de distribuição de riqueza na comunidade, os titulares do poder público. O segundo é a possibilidade de se colocarem como a melhor opção para representar os interesses do grupo nos processos eleitorais, dado que são os únicos que detêm os meios para salvar a sociedade. Essa é a combinação perfeita para, dentro de uma estrutura democrática criada inicialmente para representar todos, eleger um grupo que só representará os mais ricos e que poderá definir as regras de distribuição de riquezas, privilegiando os que já a possuem, sem ser contestado pelo grupo. Uma falsa democracia. Mas que não pode de forma alguma ser questionada, já que cumpre todos os requisitos legais que, em tese, definem o que é uma democracia.

DESIGUALDADE

Após os representantes dos donos das terras e dos meios de produção tomarem o poder público, e havendo a possibilidade de legislar em causa própria, quais são os próximos passos?

O primeiro, como já citamos, é aumentar os impostos, ou seja, aumentar a contribuição de riqueza de todos os membros da comunidade. Mas não de forma homogênea, como poderíamos esperar. Afinal, o problema maior da comunidade é a falta de investimentos necessários para gerar a riqueza de que todos precisam. Inclusive o poder público, que precisa quitar as dívidas, que não param de crescer.

Logo, os impostos sobre a propriedade das terras e dos meios de produção (devidos pelos donos dos maiores estoques de riqueza) são minorados com o intuito de facilitar o processo de investimento para a geração de novas riquezas. Por outro lado, todos os outros impostos, que afetam o resto da população, sobem bastante.

O Brasil é um exemplo fantástico desse processo, exatamente como acabamos de descrevê-lo. O imposto sobre a terra é quase inexistente, e os impostos que incidem sobre a renda e o patrimônio estão entre os menores do mundo. O Brasil é também um dos países que mais oferece subsídios fiscais para os investimentos dos grandes grupos de indústrias e empresas. Enquanto isso, os impostos sobre bens e serviços, que atingem todos – porém, com um impacto maior sobre os mais pobres –, são os responsáveis pela maior parte da arrecadação no país.

AS CONSEQUÊNCIAS POLÍTICAS DA DESIGUALDADE

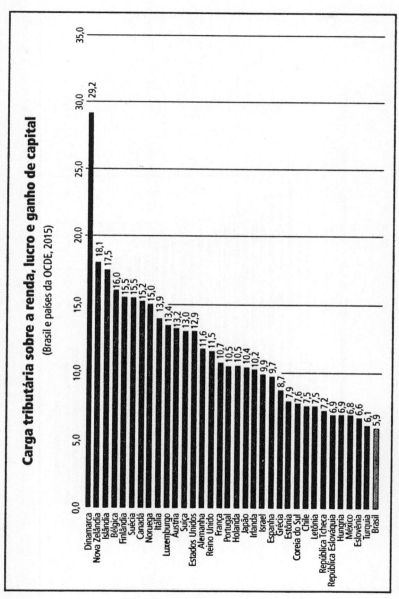

Fonte: Relatório "Carga Tributária no Brasil 2017 – Análise por tributos e bases de incidência", Ministério da Fazenda. Elaboração própria, com base em dados da OCDE Revenue Statistics 2017.

DESIGUALDADE

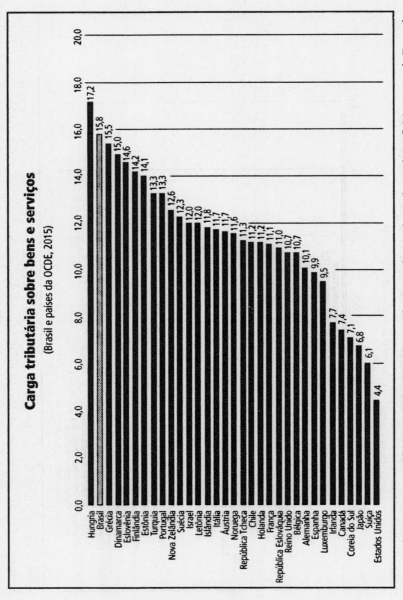

Fonte: Relatório "Carga Tributária no Brasil 2017 – Análise por tributos e bases de incidência", Ministério da Fazenda. Elaboração própria, com base em dados da OCDE Revenue Statistics 2017.

AS CONSEQUÊNCIAS POLÍTICAS DA DESIGUALDADE

A máquina de impostos é ainda mais eficiente do que parece para atender ao interesse de acumulação de riquezas dos membros dominantes da comunidade. Isso porque a riqueza correspondente aos poucos impostos pagos pelos indivíduos ricos entra nessa máquina concentradora de renda, operada (e paga) pelo poder público, somente para voltar do outro lado como "recebimento de juros" das riquezas emprestadas inicialmente por estes mesmos indivíduos.

É como se o dinheiro emprestado no começo fosse o preço para comprar essa máquina concentradora e saqueadora das riquezas da comunidade. Essa máquina é propriedade dos donos dos meios de produção, mas é operada, de maneira ingênua e ignorante, pelo poder público – esse, que deveria representar os que são prejudicados pela máquina.

O segundo passo é pressionar o Estado a abrir mão de suas propriedades e transferi-las para os donos das terras e dos meios de produção para, assim, poder quitar suas dívidas, recuperar sua capacidade de investir e voltar a cumprir sua função de redistribuir as riquezas, recolhidas através dos impostos, em benefício de todos e não somente dos mais ricos. O Estado paga suas dívidas, transferindo aos mais ricos o estoque de riqueza que a sociedade possui: terras, empresas e imóveis. A riqueza guardada em nome do grupo e acumulada com a contribuição de todos que, por conta do vírus infiltrado no sistema pelos donos dos meios de produção, passa agora para as mãos da iniciativa privada. Assim, os mais ricos continuam a deter o controle majoritário do principal instrumento gerador

DESIGUALDADE

de desigualdade em uma comunidade: as terras e os meios de produção (empresas e imóveis).

Estamos todos também acostumados com este segundo processo. É o famoso processo de "privatização dos ativos do Estado". Significa vender, em nome do poder público, as riquezas construídas com os recursos de todos, sob a justificativa de devolver ao Estado o poder de investimento necessário para gerar riquezas e atender os indivíduos que passam dificuldade na comunidade. Mas isso, na verdade, significa pegar as riquezas que foram dadas, por todos ao Estado, com o objetivo de serem redistribuídas para os que mais necessitavam e entregá-las somente para os que já são ricos, em pagamento de uma dívida inicialmente motivada por estes mesmos indivíduos.

O processo inteiro acaba fazendo ruir as riquezas do grupo em posse do poder público e por entregá-las aos indivíduos que já concentram as riquezas na comunidade. O processo decisório dessa comunidade passa a ficar inteiramente sob domínio dos que detêm os meios de produção. Assim, a capacidade de agir segundo os interesses do grupo é diminuída drasticamente na sociedade.

Vários países já passaram por processos parecidos a esse ao longo das últimas décadas, de modo que, hoje, já temos dados para confirmar essa sequência de eventos, bem como os resultados que ela gera, como a lógica descrita há pouco foi capaz de prever.

Os Estados Unidos são um bom exemplo. Antes da década de 1980, uma fatia relevante do estoque de riqueza do país estava nas mãos do poder público, pouco mais de 15%. Os impostos sobre o estoque de riqueza (patrimônio) e a geração de riqueza

AS CONSEQUÊNCIAS POLÍTICAS DA DESIGUALDADE

(renda) eram também altos, iniciando a década de 1980, acima de 50% nas alíquotas mais altas para os indivíduos mais ricos. Essas taxas, nas décadas anteriores, eram ainda maiores. A taxa que incidia sobre o patrimônio chegou a quase 80%, nos EUA, ou seja, de tudo que um americano acumulasse de riquezas e não utilizasse ao longo da vida, 80% seriam redistribuídos após sua morte para todos na comunidade, visando a tornar o grupo mais forte. A taxa sobre a geração de riqueza, para os mais ricos, chegou a ultrapassar os 90% nos anos posteriores à Segunda Guerra. Era como dizer a eles que havia um limite de riqueza que poderiam ter e que, devido aos efeitos causados pela guerra, a comunidade havia se fragilizado e era necessário que todos tivessem acesso à riqueza para o bem do grupo.

Foram anos em que os EUA se tornaram a nação mais forte, influente e economicamente poderosa do mundo. A desigualdade no país decrescia ano a ano, fazendo com que o 1% mais rico da população, que acumulava no início do século quase 50% da riqueza existente no país, diminuísse sua fatia de riqueza para pouco mais de 20% em 1980. Os governos eram cada vez mais representativos da sociedade, pois, ao longo do século, as mulheres (na década de 1920) e os negros (Voting Rights, em 1965) passaram também a votar. A dívida pública norte-americana, que havia alcançado mais de 100% do Produto Interno Bruto (a riqueza gerada por ano num país) após a Segunda Guerra, foi reduzida para menos de um terço do PIB e mantinha-se estável havia uma década. Os EUA eram como um aluno cumprindo o dever de casa e tirando a nota máxima em todas as provas.

DESIGUALDADE

A situação era tão perfeita que, apesar de choques econômicos como os do petróleo da década de 1970 (o do embargo de 1973 e o da revolução iraniana de 1979) e de algumas recessões, o país era conhecido mundialmente como a "terra das oportunidades", onde todos podiam se tornar tudo o que sempre sonharam. Naquela década, os EUA provaram que pequenas recessões não necessariamente representam uma ameaça a uma comunidade, se os mecanismos de distribuição de riqueza fossem eficientes e o país tivesse riqueza acumulada para ser distribuída. Exatamente como acontecia nas comunidades rudimentares, quando dificuldades meteorológicas, migrações em massa de animais e tantos outros problemas surgiam: se houvesse riqueza acumulada, ela era redistribuída e todos atravessavam sem problemas as dificuldades.

Até que o então presidente Ronald Reagan convenceu o povo norte-americano de que era hora de acelerar o progresso. Afinal, existia uma recessão a ser combatida e uma "guerra ideológica" em curso e somente o progresso poderia vencê-las. Para isso, era necessário tomar duas providências. Primeiro, diminuir os impostos para que os donos das terras e dos meios de produção vissem uma oportunidade maior para investir suas riquezas no sistema e ajudá-lo a gerar riquezas e crescer. Segundo, o poder público devia aumentar seus investimentos, e para isso pegar dinheiro com os donos das terras e dos meios de produção – a chance de colocar o vírus dentro do sistema!

E exatamente assim foi feito. E os efeitos foram exatamente iguais aos que acabamos de prever em nosso simples exemplo. Trata-se de um estudo de caso bastante didático, como poucas vezes poderemos observar na história.

AS CONSEQUÊNCIAS POLÍTICAS DA DESIGUALDADE

Em somente onze anos, de 1981 para 1992, a dívida pública norte-americana passou de 31% para 62% do PIB. Algo jamais visto na história do país em período curto e de relativa paz. Os impostos mais altos que incidiam sobre a geração de riqueza caíram de mais de 50% para quase a metade desse percentual ainda na década de 1980. Caíram também bruscamente os impostos sobre o estoque de riqueza. E aí, todo o resto foi apenas consequência.

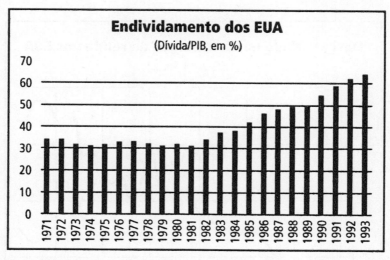

Fonte: Treasury Historical Tables, U.S. Treasury, Debt to the Peny, U.S. Bureau of Economic Analysis.

Em pouco tempo o endividamento do Estado fez com que o discurso das privatizações ganhasse força e iniciou o processo de entrega de riqueza do poder público aos donos das terras e dos meios de produção para solucionar o problema. O processo decisório sobre o futuro da comunidade ia, na prática, saindo cada vez mais das mãos do poder público para chegar nas mãos do pequeno grupo dos mais ricos. Se no começo da década de 1980 os 90% mais pobres da população acumulavam quase 40% da riqueza do país e o 1% mais rico acumulava pouco mais de 20%, algumas décadas depois a situação se inverteu, com o 1% mais rico quase dobrando sua fatia nas riquezas do país, para quase 40% do "bolo", enquanto os 90% mais pobres passaram a dividir cerca de 25% da riqueza nacional.

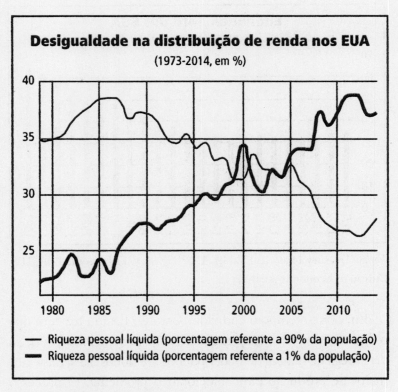

Fonte: World Inequality Database <www.wid.world>.

AS CONSEQUÊNCIAS POLÍTICAS DA DESIGUALDADE

O percentual da riqueza do país nas mãos do poder público, ou seja, aquele que seria a reserva de segurança para suprir as necessidades dos mais necessitados do grupo em tempos de dificuldade (que, como vimos, superava os 15% antes da década de 1980), foi sendo transferido para os donos dos meios de produção até que chegou a zero e se tornou negativo: as dívidas do poder público passaram a ser maiores do que todas as suas riquezas. Em outras palavras, em vez de ter um estoque de riquezas para redistribuir entre os membros da comunidade, todo membro da comunidade passou a nascer devendo dinheiro para os donos dos meios de produção.

Desde a década de 1980, quando os EUA mudaram de rumo com a justificativa de diminuir o endividamento e acelerar o crescimento do país para o benefício de todos, nada do que fora prometido aconteceu. O endividamento só cresceu, ano após ano, até que o total da dívida pública superasse toda a geração de riqueza do país nas primeiras décadas do século XXI. E absolutamente nada mudou no ritmo de crescimento norte-americano. A única real consequência da mudança de rumo foi que os benefícios que antes eram distribuídos entre todos da comunidade passaram a ir somente para os mais ricos.

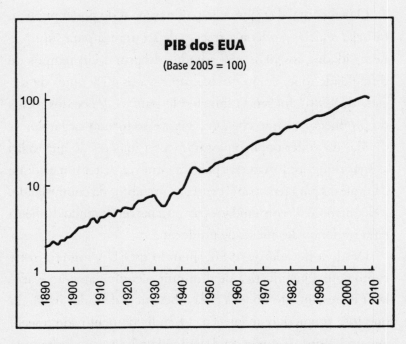

Fonte: The Economist 100 Wearsof Economic Statistics, 1929-2019, Bureau of Economic Analysis NIPA, Tabela 1.1.3.

Aí, sem o mecanismo de proteção para os indivíduos fragilizados da comunidade, normalmente garantido pela riqueza redistribuída pelo poder público, o enfraquecimento do grupo aconteceu de forma assustadora. E, curiosamente, sem que ninguém parecesse perceber. Isso porque o mundo parou de pensar em termos de "força do grupo" e passou a pensar em termos de "dinheiro total acumulado", e nesse aspecto o país seguia forte. Ninguém percebia que a riqueza gerada não che-

AS CONSEQUÊNCIAS POLÍTICAS DA DESIGUALDADE

gava mais a todos na comunidade. Era como ver um indivíduo aparentemente saudável, mas que, quando analisado por raios X ou por endoscopia, revelava um câncer interno que destruía rapidamente todos os seus órgãos vitais.

Atualmente, nas primeiras décadas do século XXI, a situação da comunidade norte-americana é preocupante. Os EUA continuam sendo o país com maior geração de riqueza no mundo. No entanto, não está entre os trinta lugares mais seguros para se morar, entre os trinta com melhor oferta de sistema de saúde para seus habitantes, entre os dez com melhor educação, entre os dez com melhor índice de desenvolvimento humano. É, entre todos os países que compõem a Organização para a Cooperação e Desenvolvimento Econômico (OCDE – grupo representativo dos países mais desenvolvidos do mundo), o que tem a maior taxa de pobreza; mesmo que quase todos os indivíduos que compõem a lista dos cem mais ricos do mundo sejam norte-americanos.

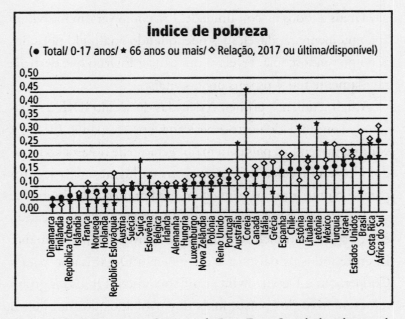

Fonte: OCDE Estatísticas Sociais e de Bem-Estar Social: distribuição de renda.

Com uma sociedade fragilizada internamente, um poder público com muito menos capacidade decisória e de investimento, os meios de produção e as terras nas mãos de poucos indivíduos ricos, além de enorme necessidade de gerar riqueza para uma importante parcela da população que passa dificuldades, quem surge como o salvador da pátria? Os donos dos meios de produção, os únicos vistos pela sociedade como possuidores dos instrumentos necessários.

Assim, a comunidade elege como seus representantes membros desse grupo seleto, que criam condições ainda mais favo-

AS CONSEQUÊNCIAS POLÍTICAS DA DESIGUALDADE

ráveis para concentrar riqueza e meios de produção e fazem com que o sistema siga na direção da autodestruição. O mesmo grupo que infiltrou o vírus que gerou o problema da comunidade surge como solução – e dessa forma termina de saquear as riquezas de toda a população. Um ciclo tão simples e claro que pode ser explicado em poucos parágrafos, mas costuma passar ao largo da compreensão dos que sofrem suas consequências, os quais, sem perceber, "alimentam" seus próprios carrascos.

A lógica descrita no texto até aqui tem somente a intenção de demonstrar como funciona o sistema econômico e suas consequências, além dos mecanismos pelos quais os personagens desse sistema agem para atingir seus objetivos e os desdobramentos desses objetivos.

Enganam-se os que a esta altura pensam que este livro é somente uma crítica à propriedade privada e ao capitalismo. Isso porque a história é também cheia de exemplos de modelos implementados onde as terras e os meios de produção se tornaram públicos, e as consequências foram também de enfraquecimento do grupo. Como foram e são ainda (nos poucos casos restantes) os regimes comunista e socialista de alguns países.

A princípio, um observador desatento poderia supor que os regimes comunista e socialista, ao fazerem o caminho inverso do que acabamos de descrever (ou seja, a transferência das riquezas do poder público para o poder privado), seriam os que mais se aproximariam daquele do início desta obra, em que descrevemos uma comunidade ancestral que sobrevivia tendo como seus dois maiores pilares a reciprocidade e a redistribuição das riquezas entre seus membros. No entanto, a realidade passa longe disso.

DESIGUALDADE

As duas maiores diferenças entre os sistemas que socializam as terras e os meios de produção e a comunidade que descrevemos no início do livro – e o que os colocam em posições quase antagônicas – são as questões da "representatividade dos membros da comunidade" que ocupam o poder e a "liberdade" dos membros do grupo para tomar decisões.

Lembremos que a comunidade ancestral redistribuía as riquezas geradas por todos os indivíduos com o claro objetivo de fortalecer todos na comunidade e tornar o grupo o mais forte possível. Como vimos, porém, após o surgimento da propriedade privada e o consequente ganho de poder decisório dos donos das terras e dos meios de produção, as características e os objetivos das comunidades mudaram. Vimos também que o surgimento dos regimes democráticos de votação, que passaram a dar a todos no grupo o direito de eleger seus representantes, ajudaram a reequilibrar a relação entre o interesse coletivo e os interesses individuais dos donos dos meios.

Entretanto, nos países comunistas e em vários socialistas, na maioria das vezes, o processo democrático é inexistente. Os ocupantes do poder, que têm em suas mãos a função de distribuir riquezas e coordenar os investimentos do grupo, não possuem, a princípio, qualquer vínculo de representatividade com os membros da sua comunidade. Muitas vezes assumiram o papel de "coordenação" da distribuição de riquezas após golpes ou batalhas sangrentas em seus países, e nesse papel permaneceram durante décadas.

Não existe, portanto, a possibilidade de avaliação, por parte dos membros da comunidade, de como a distribuição de rique-

AS CONSEQUÊNCIAS POLÍTICAS DA DESIGUALDADE

zas e o cuidado dos indivíduos do grupo estão sendo feitos. Isso faz com que as decisões tomadas pelos indivíduos que ocupam o poder percam rapidamente (se é que um dia chegam a ter) qualquer relação com o bem-estar dos indivíduos do grupo e passem a visar somente à sua perpetuação no poder.

Aliás, nesse sentido, os regimes comunista, socialista e capitalista podem ser muito mais parecidos do que as pessoas imaginam. Nos três, existe a tendência de que o poder de decidir sobre os investimentos da comunidade e a distribuição da riqueza gerada pelo grupo recaia apenas sobre um pequeno grupo de indivíduos não representativo da comunidade.

No caso capitalista, como vimos, isso acontece com a transferência das terras e dos meios de produção para os poucos indivíduos mais ricos da comunidade e pela ocupação do poder público por representantes desses mesmos indivíduos. No regime comunista isso acontece com a criação de um "falso poder público", que na verdade é também composto de um pequeno grupo de indivíduos que se intitulam donos do destino das riquezas e dos investimentos da comunidade. É quase como se no auge do regime capitalista, quando poucos indivíduos ricos detivessem quase todas as riquezas da comunidade, passassem a oficialmente se denominar o próprio poder público e, oficialmente, passassem a ser donos de todas as terras e de todos os meios de produção da comunidade, comandando todo o resto da comunidade em relação a quais riquezas deveriam gerar e a quanto cada um da comunidade teria direito na distribuição. Pronto, o capitalismo teria se transformado no comunismo num passe de mágica!

DESIGUALDADE

A outra grande diferença dos regimes comunistas e de parte dos socialistas em relação à nossa sociedade rudimentar é que, apesar de aparentemente todas as terras e os meios de produção pertencerem a todo o grupo, representado pelo poder público, isso, na verdade, é uma grande mentira. É muito diferente não ter um dono e ter um dono que supostamente representa todo mundo. No primeiro caso, os indivíduos podiam, ao sentir necessidade de gerar riquezas, sair e tentar a sorte onde quisessem. No segundo caso, isso não é possível. Ninguém em um país comunista pode pular uma cerca que delimite uma propriedade do Estado, matar um boi para distribuir a carne entre amigos que passam fome alegando que a terra onde está é de todos. Nem a terra nem o boi são de todos. São do Estado – que, de certa forma, pertence somente a um grupo de pessoas e não representa a comunidade nem pode ser avaliado ou fiscalizado por ela.

Esse exercício quase caricato, levando ao limite os regimes capitalista, comunista e socialista para analisar os caminhos econômicos possíveis, tem a função de mostrar que, após o surgimento da propriedade privada, passou a existir também uma corrida por parte dos indivíduos para acumular a maior quantidade possível de terras e de meios de produção e, consequentemente, garantir o controle do processo de geração de riqueza e de investimento do grupo.

Mostramos que é assim em todos os sistemas – sempre com o discurso de que o que está sendo feito é a melhor alternativa para gerar e distribuir riquezas para todos. Mas, na prática, resultando em modelos que geram riqueza somente para um pequeno grupo privilegiado.

AS CONSEQUÊNCIAS POLÍTICAS DA DESIGUALDADE

A análise das experiências vividas por vários países mostra que, independentemente do regime, seja ele capitalista, comunista ou socialista, alguns fatores fazem enorme diferença para o sucesso do grupo como um todo, levando-se em consideração todas as métricas de bem-estar e qualidade de vida dos indivíduos que integram a comunidade:

1. Em primeiro lugar, um regime de fato democrático em funcionamento é capaz de eleger, para comandar as decisões do poder público, indivíduos que sejam representativos de todo o grupo e não somente de uma pequena parcela privilegiada. Tal regime precisa ser avaliado periodicamente (através de eleições) para que os indivíduos da comunidade que estejam piorando sua condição de vida tenham o poder de trocar seus representantes no poder público. Essa é a principal característica que aproxima de modo conceitual qualquer regime econômico dos regimes ancestrais, pelo menos no que diz respeito ao processo de redistribuição de riquezas geradas pelo grupo.

2. Ter um poder público forte, gerador e detentor de riquezas, com capacidade decisória e de investimento. Vale ressaltar que esta segunda condição só será efetiva se precedida pela primeira, a da representatividade. Um poder público que representa somente um pequeno grupo privilegiado da comunidade dá a falsa impressão de existirem mecanismos que zelam pelo bem-estar do grupo, uma falsa democracia. Algo que pode permitir que a

DESIGUALDADE

desigualdade se perpetue silenciosamente por muito mais tempo do que deveria, levando a comunidade ao colapso.

3. Ter um mecanismo relevante de coleta de riqueza, através dos impostos sobre fluxo, geração e estoque de riquezas, que seja capaz de recolher parcelas significativas das riquezas dos grupos que detêm provisoriamente grandes concentrações de terras e meios de produção – a fim de evitar que um processo irreversível de acumulação de meios tenha início.

4. Evitar a concentração excessiva de terras e meios de produção nas mãos da iniciativa privada. Deve haver um equilíbrio saudável entre as terras e meios de produção que estão em poder de todos (no Estado) e os que estão em poder da iniciativa privada, grupo importante para permitir que investimentos mais arriscados sejam realizados – aqueles que não sejam prioritários em determinado momento para o bem comum, mas possam representar importantes passos para a comunidade.

5. Manter um elevado grau de liberdades individuais dentro da comunidade em todas as frentes (intelectual, de manifestação cultural, religiosa, política e tecnológica), protegidas por lei, para que a criatividade individual possa encontrar espaço e gerar riqueza para o grupo. O tempo em que a terra não tinha donos não voltará (é o que imagino). O mesmo vale para os meios de produção. Ambos terão sempre um dono, seja ele um indivíduo ou o poder público. Isso naturalmente restringe de maneira brutal a liberdade dos membros de uma comunidade.

AS CONSEQUÊNCIAS POLÍTICAS DA DESIGUALDADE

Deve-se, portanto, ter o cuidado perene de garantir que seja mantido, em qualquer comunidade, um grau mínimo de liberdade que permita que as potencialidades do grupo não sejam estranguladas pela falta de opções de manifestar a intenção e a capacidade de geração de riqueza por parte de seus indivíduos.

As poucas comunidades que em algum momento de sua história foram capazes de seguir esses preceitos – algo extremamente difícil de ser observado – atingiram resultados fenomenais para os integrantes de seu grupo. Os Estados Unidos, durante parte de sua história; a França e a Inglaterra, também, durante um bom período; e os países nórdicos, talvez, os casos de maior sucesso até hoje. O que observamos, porém, são sistemas político-econômicos que iludem seus integrantes com uma falsa percepção de que estão cumprindo esses direcionamentos e, na verdade, passam a léguas e léguas de distância deles, mascarando regimes cruéis de acumulação de riqueza, como os que descrevemos.

Se houver dúvida quanto a esses sistemas seguirem ou não tais preceitos, basta olhar os resultados. Se o grupo não está se fortalecendo como um todo, com parcelas de indivíduos cada vez mais frágeis à medida que pequenos grupos dominam cada vez mais as riquezas e os processos decisórios, é certo que todo o discurso apresentado publicamente pelos que dominam as riquezas privadas e o poder público é um grande teatro: nada que lembre os conceitos que expusemos está colocado em prática.

9. A FUNÇÃO DOS BANCOS NO SISTEMA ECONÔMICO

A evolução do tamanho e do grau de complexidade das comunidades e a figura da propriedade privada da terra e dos meios de produção fizeram com que os fluxos de riqueza se intensificassem tremendamente e, portanto, que os investimentos se tornassem cada vez mais um elemento-chave para o sucesso do grupo. Afinal, um grupo maior necessitava de mais riquezas para poder sobreviver.

Pouco a pouco, os grupos foram desenvolvendo culturas cada vez mais complexas e sofisticadas, com novidades – como o status social e religioso ganhando cada vez mais importância para as pessoas. Isso fez com que as riquezas demandadas pelo grupo se tornassem ainda maiores, com a consequente necessidade de aumento de investimentos. Não nos esqueçamos de que não existe criação de riqueza sem algum investimento inicial, nem que tal investimento seja somente trabalho em troca de um pedaço da riqueza que será gerada.

DESIGUALDADE

À medida que as necessidades foram ficando cada vez maiores, a capacidade individual dos integrantes do grupo para investir foi ficando cada vez mais distante do que os investimentos exigiam. Ao mesmo tempo, sem a obrigação de redistribuir tudo o que se gerava de riqueza individualmente em prol do grupo, começaram a surgir indivíduos que acumulavam muito mais riqueza do que poderiam necessitar, e outros que tinham necessidade de riqueza para sobreviver que não eram supridas pela redistribuição do grupo. Nasceu então a figura de um intermediador de riquezas, que atenderia a todas as necessidades do grupo, desde reunir recursos necessários para investir na geração de riquezas até emprestar riqueza dos que a tinham em excesso para os que dela necessitavam.

Esses intermediadores logo se mostraram essenciais para o funcionamento do sistema. Eram remunerados com uma parcela da riqueza que intermediavam, quase como se recebessem impostos sobre o fluxo de riquezas, como os que vimos anteriormente. Em pouco tempo, os fluxos de riqueza intermediados por esses agentes passaram a ser tão grandes que eles também se tornaram grandes acumuladores de riqueza. Juntaram-se, assim, aos donos das terras e dos meios de produção como importantes tomadores de decisão em relação ao destino das comunidades a que pertenciam.

Aqui, vale rapidamente abordar o tema dinheiro – algo que tem sido evitado propositalmente ao longo desta obra, para auxiliar o leitor a pensar economia em termos de riqueza, e não de dinheiro. Essa é a melhor forma de se compreenderem as possibilidades e desafios de uma comunidade.

A FUNÇÃO DOS BANCOS NO SISTEMA ECONÔMICO

Como vimos rapidamente no início do livro, o fluxo de riqueza nas comunidades em determinado momento passou a ser facilitado pela figura de "objetos" que davam direito a ser trocados por qualquer riqueza em determinadas proporções. A esses objetos deu-se o nome de "dinheiro".

A função do dinheiro, porém, sempre foi a de representar um direito à riqueza. Ele, em si, nunca foi riqueza. Por exemplo, em um mundo com dinheiro se você deseja trocar mil pães por um automóvel, como vimos em um exemplo anterior, você poderá trocar mil pães por 5 mil reais, dólares, libras, dracmas ou qualquer outra moeda, e depois trocar essas mesmas 5 mil moedas por um automóvel.

É o que chamamos de vender os pães e depois comprar o automóvel. Nesse intervalo entre não ter mais os pães e antes de adquirir o automóvel, você estará momentaneamente com algo que tem pouco valor prático para a sua vida, a não ser facilitar a troca de riqueza. Como sua função é ocupar "o meio do caminho" entre a troca de duas riquezas, gosto de considerar o dinheiro fluxo, e não riqueza em si.

O problema é que, pouco a pouco, as pessoas foram se esquecendo de que o dinheiro significava apenas um direito de troca por riqueza e passaram a considerá-lo sinônimo de riqueza. Na verdade, mais do que isso, o *direito de troca por riqueza* e a *riqueza* passaram a ser considerados exatamente a mesma coisa. Mas não são. É um tremendo erro conceitual, que leva à absoluta incapacidade de perceber os mecanismos econômicos existentes. Imagino que, ao ler essa última frase, muitos possam discordar dela, por acreditarem que dinheiro

DESIGUALDADE

e riqueza são a mesma coisa. Peço que sigam o raciocínio para ver aonde chegaremos e, então, decidirem se eles realmente são a mesma coisa.

Transformar dinheiro em sinônimo de riqueza, a ponto de não se falar mais em riqueza, somente em dinheiro, causou nas sociedades um fenômeno curioso e até certo ponto irônico. Em vez de desejarem trocar dinheiro por riquezas, que lhe seriam úteis, as pessoas passaram a trocar desesperadamente riquezas, coisas que lhes eram úteis, por dinheiro. O objetivo passou a ser acumular dinheiro.

As coisas se inverteram sem que ninguém percebesse. E como o dinheiro é fluxo de riqueza, os maiores beneficiários dessa mudança de comportamento foram os donos dos caminhos por onde esse fluxo transita: os bancos, que funcionam como estradas que cobram pedágios cada vez que um pacote de notas ou moedas as atravessa.

Para os bancos, a inversão dos papéis entre riqueza e dinheiro foi incrivelmente providencial. Como o objetivo das pessoas passou a ser ter mais dinheiro, e não mais riqueza, a capacidade delas de avaliação sobre os riscos e possibilidades envolvidos no processo de geração de riqueza veio a quase zero. Todo o processo se tornou parecido com uma aposta, com promessas de mais dinheiro feitas para aqueles que investissem neste ou naquele projeto, cuja possibilidade de êxito os investidores sequer eram capazes de avaliar com o conhecimento que tinham.

Deu-se então início aos grandes movimentos especulativos, que nada mais eram do que grandes ondas de fluxo de dinheiro, nas quais grandes quantidades de moedas eram trocadas entre

A FUNÇÃO DOS BANCOS NO SISTEMA ECONÔMICO

pessoas que já não negociavam mais riquezas, e sim direitos (ou direitos ao direito) de ter acesso a riquezas com as quais não tinham nenhum contato.

A distância entre dinheiro e riqueza ficou tão grande que o dinheiro passou a existir por si só, e surgiu então um enorme mercado de troca de dinheiro, sobrepondo-se a todos os outros mercados, fazendo dos bancos os mais importantes personagens do "mundo" das terras e dos meios de produção privados. Sem necessariamente terem nem um nem outro.

Hoje, são comuns as discussões de pessoas avaliando os cenários para as taxas de juros ou Bolsas de Valores pelo mundo. Tem-se pânico de uma queda generalizada das Bolsas, ou de um aumento significativo das taxas de juros.

O curioso é que, mais uma vez, o discurso é quase totalmente voltado apenas para a variável do dinheiro. Se a Bolsa de Valores tem, por exemplo, uma queda de 10%, a sensação é a de que o país ficou 10% mais pobre. Mas como isso é possível? Onde foi parar o dinheiro? Como um país pode ter ficado mais pobre se as riquezas que ele tem não mudaram absolutamente nada de um dia para o outro, e é com elas que os habitantes do país irão sobreviver (e não com a cotação da Bolsa)? Afinal, ninguém se alimenta da página de cotações do jornal – as pessoas se alimentam de carne, trigo, soja e leite –, e nada muda de um dia para o outro no estoque dessas riquezas quando a Bolsa cai.

O que então realmente acontece, e quais são as preocupações válidas e as inócuas em todo esse processo? Para compreender isso, precisamos voltar aos exemplos simplificados, dos quais removemos o elemento que confunde tudo: o dinheiro.

DESIGUALDADE

Voltemos ao nosso exemplo anterior, o da comunidade com quatro habitantes onde dois eram donos de terras e de meios de produção (no caso uma fábrica de automóveis e uma construtora) e os outros dois eram trabalhadores. Vamos agora sofisticar nossa comunidade, acrescentando a ela mais quatro habitantes. Três deles indivíduos com riqueza acumulada em excesso e um intermediador de riqueza. Os mais atentos podem perceber que estamos incluindo três ricos e um banqueiro em nossa história.

O exemplo é o mesmo que vimos anteriormente. Para os que não se recordam: o dono da fábrica de automóveis pagou cem pães de seu estoque para que seu trabalhador fabricasse um automóvel; o dono da construtora pagou o mesmo valor para seu trabalhador construir uma casa. O trabalhador que fez o automóvel ao final do processo comprou uma casa no valor de mil pães; o trabalhador que fez a casa comprou um automóvel pelo mesmo valor. Como não tinham todo o dinheiro, ficaram devendo e tiveram que continuar trabalhando durante um bom tempo para poder gerar a riqueza que deviam.

Como já utilizamos esse exemplo para discorrer sobre a questão dos impostos, vamos simplificar este novo caso eliminando essa variável (os impostos).

Neste nosso novo caso, com os quatro novos participantes, todos os fluxos de riqueza que acontecem durante o processo passam a ser mediados pelo intermediador de riquezas. Mesmo sem ser o dono das terras nem trabalhar para gerar riqueza alguma, ele terá uma parte de toda a riqueza que fluir através dele. Os cem pães que são pagos para o funcionário que construirá a casa e o automóvel chegarão como somente 99 pães

A FUNÇÃO DOS BANCOS NO SISTEMA ECONÔMICO

para os funcionários. Os mil pães pagos pelos trabalhadores pelo automóvel e pela casa terão de ser pagos com adição de um valor extra – por exemplo, dez pães – para que o intermediador repasse ao dono das fábricas o valor líquido de mil pães. A dívida assumida pelos trabalhadores também será coordenada pelo intermediador, que a cada pagamento de juros e amortização do valor devido seguirá recolhendo sua parte. Fica fácil perceber que, quanto maior o fluxo de riqueza, melhor será para o intermediador.

Surge então em nossa comunidade uma outra possibilidade de fluxo de riquezas. Suponhamos que o dono da fábrica de automóveis, alguns dias após ter pago os cem pães para que o trabalhador fizesse o serviço, experimentasse falta de pães em casa e necessitasse adquiri-los. Como nunca trabalhou, o dono da fábrica não sabe fazer pães. Tem então duas possibilidades. A primeira é oferecer suas terras para que um funcionário os fabrique, dando a ele uma parcela dos pães que forem produzidos e ficando com a outra. Isso, porém, demandará tempo até que os pães sejam produzidos, além do trabalhador estar ocupado construindo o automóvel, e ele precisa logo dos pães para sobreviver. A segunda opção é ir até o intermediador de riquezas e perguntar se ele consegue pães com outras pessoas enquanto os pães resultantes da venda do automóvel não voltarem para o seu estoque de riqueza.

O intermediador então diz a ele que existem duas alternativas para conseguir os pães. Na primeira, ele pode receber cem pães de um dos indivíduos ricos da comunidade, desde que devolva 110 pães quando o automóvel ficar pronto. Na segunda, pode

DESIGUALDADE

transferir o direito de receber o automóvel, quando este ficar pronto, para outro indivíduo que lhe pagaria duzentos pães por isso, dada a possibilidade de receber mil pães adiante. Independentemente do que ele escolher, o intermediador ficará com 1% do fluxo de riqueza que transitar por ele.

Não querendo abrir mão de todo o resultado de seu investimento, por saber que em pouco tempo terá uma grande riqueza voltando para si, porém ao mesmo tempo precisando atender às suas necessidades urgentes de sobrevivência, ele resolve fazer uma combinação das duas alternativas oferecidas. Pega cinquenta pães emprestados do indivíduo rico, sabendo que terá de devolver 55 daqui a um mês, e vende um direito à metade do carro para outro indivíduo, por cem pães. O intermediador recolhe seu 1%, neste caso um pão e meio, sobre todo o fluxo que acontece.

Passadas algumas semanas, o novo detentor de metade dos direitos do carro (quando este ficar pronto) percebe que existem riscos de a construção do carro dar errado, o que faria com que os cem pães dados ao dono original desse direito não retornassem em maior quantidade no futuro. Resolve então vender esse direito que havia comprado. Vai até o intermediador e pergunta se ele teria alguém interessado em adquiri-lo. Ele diz que sim. A notícia é ainda melhor: como falta pouco tempo para o automóvel ficar pronto, ele encontrou alguém disposto a pagar duzentos pães por esse direito, o dobro do que ele havia originalmente pago.

Ele o vende imediatamente, recebendo os duzentos pães que estavam no estoque do outro indivíduo rico. Percebam que,

A FUNÇÃO DOS BANCOS NO SISTEMA ECONÔMICO

apesar de o direito inicial de receber 100% do automóvel ter sido criado com um investimento inicial de cem pães, e metade dele já estar valendo duzentos pães, nenhuma riqueza foi criada na comunidade – apesar de uma possível falsa impressão nesse sentido. Todos os pães que estão fluindo entre os membros da comunidade já existiam.

Faltando uma semana para o término do processo, uma enorme tempestade se aproxima do local onde fica a comunidade, colocando em risco a fábrica de automóveis. O atual dono do direito de receber metade do automóvel percebe que há um enorme risco em jogo e, para garantir que não perderá todos os pães que investiu, aceita vender seu direito, que havia sido comprado por duzentos pães, por somente cinquenta pães, para um terceiro comprador, por acaso o mesmo indivíduo que havia também emprestado cinquenta pães para o dono da fábrica. Este último, então, resolve assumir o risco final.

O final da história não é feliz. Tragicamente, a tempestade destrói a fábrica, fazendo com que o carro não seja construído e o direito passe a não ter valor nenhum (já que não houve carro construído). No entanto, todas as transações que descrevemos, as de sucesso e as malsucedidas, deverão pagar 1% para o intermediador de riquezas.

O dono da fábrica tem agora de pagar sua dívida, que, justamente por ser uma dívida, não depende da fabricação ou não do automóvel para ser honrada. Por sorte, ele tinha recebido cem pães por metade do direito do automóvel e, mesmo tendo consumido algumas unidades, tem ainda os 55 para pagar de volta a dívida, e assim o faz. O primeiro comprador do direito

DESIGUALDADE

termina o processo com duzentos pães, cem a mais do que no início (menos os pães pagos ao intermediador de riquezas, o que acontecerá em todas as operações também descritas a seguir). O segundo termina com cinquenta pães, 150 a menos que no início. E o terceiro termina com 55 pães, dado que começou com cem, emprestou cinquenta que voltaram como 55 e usou cinquenta para comprar metade do direito que foi totalmente perdido.

A conclusão final: mesmo com a tragédia, a comunidade não perdeu absolutamente nada da riqueza que possuía. A única coisa que não aconteceu foi nova geração de riqueza. Não houve um empobrecimento da comunidade (a não ser pelos pães consumidos pelas pessoas durante o processo), apenas não houve seu enriquecimento.

O exemplo que acabamos de ver é propositalmente provocativo e tem a intenção de trazer alguma clareza sobre processos modernos que são mal compreendidos pelas pessoas. Analisar o comportamento das Bolsas de Valores pelo mundo, que negociam exatamente esses direitos de receber parcelas de riquezas que serão geradas pelas empresas, é extremamente confuso para muitos. Até para especialistas.

Como vimos, um país não se torna mais rico ou mais pobre com a queda ou alta da Bolsa de Valores. Esses são movimentos absolutamente especulativos, que estão tentando adivinhar qual será a quantidade de riqueza gerada no futuro pela sociedade. Aliás, a invenção do dinheiro fez com que passássemos a considerar possibilidade de riqueza futura como se fosse riqueza presente – um erro de concepção proveniente da confusão que fazemos entre riqueza e dinheiro.

A FUNÇÃO DOS BANCOS NO SISTEMA ECONÔMICO

O que é importante ficar claro é que uma Bolsa em alta ou em queda não destrói nem dinheiro nem riqueza. Isso apenas aconteceria se notas de dinheiro fossem rasgadas no processo. Ou se os estoques de riqueza das empresas fossem queimados a cada vez que as Bolsas caíssem de valor. Porém, não é esse o caso. O que existe é um enorme fluxo do "fluxo de riqueza", ou fluxo de dinheiro, entre os membros da comunidade. Que segue, como no nosso exemplo simplificado, passando pelas mãos dos intermediadores de riquezas, deixando-os com mais dinheiro, independentemente de altas ou quedas dos preços.

Isso não quer dizer que a Bolsa de Valores subindo ou caindo não tenha impacto algum em uma comunidade. Os impactos indiretos podem, sim, ser grandes. Isso porque um mercado em alta significa maior perspectiva de riquezas no futuro, o que incentiva os donos das riquezas a investirem mais, dada a maior expectativa de êxito.

O fato é que o processo de geração de riqueza acaba impulsionando um novo processo de geração de riqueza, até para poder suportar o maior consumo de riqueza que haverá numa comunidade com expectativas otimistas. Lembremos nosso exemplo, no qual, apesar de nenhum estoque de riqueza ter sido perdido com a tragédia na fábrica de automóveis, o trabalhador da construtora não poderá mais comprar o automóvel, o que o faria se endividar, tendo de gerar mais riqueza para honrar sua dívida, impulsionando assim todo o processo de geração de riqueza da comunidade.

Sociedades de consumo exigem uma grande geração de riqueza porque são grandes consumidoras de riqueza. Quando

DESIGUALDADE

são ao mesmo tempo sociedades de consumo e comunidades com grande concentração dos meios de produção, essa necessidade de geração de riqueza é propositalmente impulsionada pelos donos dos meios de produção e das terras. E a equação quase sempre acaba como nos exemplos que demos ao longo deste livro, com poucos indivíduos muito ricos, muitos indivíduos muito pobres, um poder público com pouquíssimo poder de decisão e de redistribuição de riqueza, ocupado por representantes dos ricos. E com o meio de onde se tira a riqueza (a natureza) rapidamente degradado. Podemos agora adicionar a este cenário os intermediadores de riquezas, ou banqueiros, que, ao se beneficiarem da dinâmica das sociedades de consumo, acumulam também enormes quantidades de dinheiro, riqueza e poder.

A compreensão desses processos e da diferença entre dinheiro e riqueza são de fundamental importância para que uma comunidade possa focar seus esforços na geração de riqueza, e não nos processos envolvendo o dinheiro em si. A riqueza sem dinheiro já mostrou que é capaz de manter uma comunidade viva e forte. O dinheiro sem riqueza, ao contrário, não tem valor algum.

E se você ainda tem alguma dúvida sobre essa diferença, tranque alguém em um cofre com milhões e milhões de dólares e volte daqui a uma semana para ver se tanto dinheiro foi capaz de mantê-lo vivo.

10. A VERDADEIRA ECONOMIA E LIÇÕES SOBRE DESIGUALDADE

Eu já havia escrito boa parte deste livro quando tomei uma importante decisão na vida: precisava conhecer de perto a desigualdade sobre a qual tanto teorizava em minha obra. Antes de escrevê-la foram meses e meses de estudos em livros, publicações e teses de mestrado e de doutorado dos melhores centros acadêmicos do Brasil e, principalmente, de países que conseguiram com sucesso atacar esse problema no mundo. Tudo isso para, num determinado momento, chegar à conclusão de que eu nada sabia e que precisava desconstruir tudo o que havia aprendido para seguir em minha própria jornada de investigação.

Ao escrever o livro, porém, outra ideia foi ganhando força: a de que eu precisava viver um pouco daquilo sobre o que escrevia para poder testar minhas hipóteses e me tornar verdadeiramente empático ao problema. Decidi que faria um mergulho profundo nesta investigação. Em vez de simplesmente visitar

DESIGUALDADE

grupos carentes ou marginalizados (como seria o normal de um pesquisador), decidi viver com eles por um período. Dormir onde eles dormiam, comer com eles, trabalhar com eles e me oferecer, mesmo que temporariamente, como um integrante do grupo para o que fosse preciso.

Cinco grupos vieram imediatamente à minha cabeça. Grupos extremamente marginalizados pela nossa sociedade, pintados como "perigosos" ou simplesmente "inferiores" pela mídia, e que certamente viviam o lado cruel da desigualdade que eu tanto havia estudado: o Movimento dos Trabalhadores Rurais Sem Terra (MST), os povos indígenas, a população das regiões secas do interior do Nordeste brasileiro, a população carcerária e os moradores das favelas metropolitanas.

Pedi ajuda ao amigo Jessé de Souza, que prefacia este livro, para colocar meu plano de pé. E foi graças à sua ajuda e às pontes que ele fez com lideranças do movimento que, muito antes do que eu imaginava (somente duas semanas após minha ideia), eu estava decolando de São Paulo rumo ao noroeste do Paraná, onde iria morar durante algumas semanas em acampamentos e assentamentos do MST.

Eu verdadeiramente não sabia o que esperar. Tudo o que tinha ouvido, visto ou lido sobre o MST havia sido através da mídia. Jornais, rádios e programas de televisão mostrando violentos invasores de terras, armados com foices, facões e pedras, vandalizando propriedades, matando animais e rumando em fila a entoar gritos de guerra e espalhar sangue e desordem por onde passavam. Mas eles cumpriam os pré-requisitos que eu tinha estabelecido: eram marginalizados e pobres.

A VERDADEIRA ECONOMIA E LIÇÕES SOBRE...

Não avisei ninguém próximo sobre a viagem. Fiquei com medo de assustá-los. A única a saber foi minha esposa. E mesmo ela, progressista e defensora de políticas públicas inclusivas e redistributivas, ficou temerosa. "Cuidado, meu amor, esses caras podem ser perigosos." Já era tarde, a viagem estava decidida e só nos restava, a mim e a ela, torcer para que fosse menos perigoso do que imaginávamos.

Não descreverei aqui os detalhes dessa viagem. Seria injusto dedicar poucas páginas para uma experiência de vida tão incrível, que mereceria uma obra completa, escrita ou em vídeo. Estou certo de que ainda irei fazer um dos dois. Afinal, foram certamente as semanas de maior aprendizado em toda a minha vida. Durante todos os dias em que morei com os irmãos e irmãs de oito acampamentos e assentamentos do MST, aprendi mais sobre viver em comunidade e sobre economia do que havia aprendido nos meus 43 anos.

É sobre a parte econômica deste aprendizado que gostaria de me ater neste livro. E a razão é o fato de ter tido a oportunidade de ver na prática, acontecendo no dia a dia da comunidade, muitos dos conceitos que eu havia somente teorizado ao escrever este texto. Trazê-los ao conhecimento do leitor sem dúvida irá fundamentar muito do que foi falado até aqui.

Antes, porém, preciso destacar, mesmo que de forma breve, alguns pontos sobre o que vi nos dias em que lá estive:

- Nunca testemunhei tamanho acolhimento e generosidade como o que tive no MST. Desde o primeiro dia, em todas as comunidades por onde passei, não houve uma casa sequer

DESIGUALDADE

que eu tenha visitado em minhas caminhadas onde não tivesse sido recebido com um café, um convite para almoçar ou jantar e, acreditem, a oferta de um lugar para passar a noite. E estamos falando de pessoas, na sua maioria, muito pobres, com casas muitas vezes feitas de lona e pedaços de madeira amontoados um sobre o outro. Não lhes falta, porém, o sorriso nem a disposição de dividir o que têm.

- Poucas vezes vi um sentimento de grupo, de comunidade, como o que vi nos acampamentos e assentamentos do MST. Existe uma preocupação genuína, verdadeira, de todos em relação a todos. Pouco antes de chegar a um dos acampamentos, fiquei sabendo que o barraco de um dos moradores tinha pegado fogo. Quando cheguei ao acampamento e fui visitá-lo, qual foi minha surpresa ao saber que o vizinho que tinha acabado de construir um barraco novo para a família dera o seu antigo, onde haviam morado, para o que havia perdido a casa. Vejam bem, ele deu! Não vendeu, trocou ou alugou.

- Nunca me senti tão seguro como nos dias em que morei nos acampamentos e assentamentos do MST. As casas não têm fechaduras nas portas, mas somente tramelas de madeira. As paredes não são pichadas. As crianças andam a pé todos os dias para onde quiserem, sozinhas ou com os amigos.

- Todos têm a mesma oportunidade de desempenhar um papel de coordenação na comunidade. Mulheres e homens, negros e brancos, jovens e idosos recebem o mesmo espaço e a mesma voz na discussão dos problemas dos acampamentos e assentamentos e possuem representantes nos grupos de

A VERDADEIRA ECONOMIA E LIÇÕES SOBRE...

coordenação do MST. Isto faz com que exista uma empatia enorme das lideranças em relação aos desafios pelos quais passam todos aqueles que estão sendo afetados por suas decisões.

- É importante que todos saibam que, quando as ocupações do MST se transformam em assentamentos, o Estado indeniza os antigos proprietários das terras ocupadas. Ou seja, não existe, em nenhum assentamento do país, o que as pessoas chamam de "roubo de terra". Não há absolutamente nada que justifique identificar os integrantes do MST como "ladrões de terra". Roubar implica que alguém se apropria de bem alheio, sem que o antigo proprietário seja remunerado por isso. O MST recupera terras improdutivas, produz riqueza para todo o país em forma geração de renda e impostos e acelera o processo de Reforma Agrária.

Há muito mais o que falar, além desses pontos, sobre o modo de vida dos acampados e assentados do MST. Mas, como já disse, deixarei esses ricos detalhes para um outro livro ou para um documentário. Aqui, focarei em explorar os aspectos econômicos que pude testemunhar nesta experiência. O que já não é pouco, como veremos a seguir.

Falamos muito até agora sobre a diferença entre os conceitos de dinheiro e riqueza. Talvez este seja o principal tema do livro. Mostramos a natureza finita da riqueza (e potencialmente infinita do dinheiro) e descrevemos a relação entre a forma como ela é gerada e distribuída com o problema da desigualdade. Ao final, propusemos caminhos. Estar no MST foi como percorrer fisicamente as páginas deste livro.

DESIGUALDADE

Um acampamento do MST começa de forma muito parecida com as comunidades primitivas descritas neste livro. Um grupo de pessoas, os chamados "sem-terra", ocupa um pedaço de terra improdutivo e lá começa do zero sua história. Aqui, vale também um breve comentário sobre a fama de "invasores" do movimento. Todas as terras ocupadas possuem características propícias à realização da reforma agrária, como, por exemplo, ter dívidas enormes e atrasadas com a União, haver degradado o meio ambiente e recebido multas e advertências por isso, ter trabalhadores em regime de escravidão ou simplesmente o fato de nada ter sido produzido na propriedade há muitos anos num pedaço de terra de proporções gigantescas. Não fosse assim, as ocupações correriam todo o risco (que não raramente acaba em confrontos com pistoleiros contratados pelos fazendeiros e em alguns casos em morte dos sem-terra) simplesmente para serem despejadas logo depois pela polícia. É curioso como nunca nos questionamos: "Se eles são criminosos, por que não estão presos?". Simplesmente porque não são criminosos. Esta é apenas a visão passada pelos meios de comunicação, que na sua quase totalidade são de propriedade de famílias que têm latifúndios em uma das condições anteriormente descritas.

A diferença entre um assentamento e um acampamento é que, em um assentamento, as terras já foram cedidas pelo órgão responsável pelas políticas de reforma agrária para o uso da comunidade, enquanto num acampamento a terra ainda está legalmente em nome do proprietário original. Aqui, outro ponto que vale destacar: a terra, mesmo em um assentamento, nunca vira propriedade do sem-terra. Ele pode somente utilizá-la

A VERDADEIRA ECONOMIA E LIÇÕES SOBRE...

para produzir riqueza e vender esta produção. Jamais, porém, pode vender a terra, que não é sua. A história dos "ladrões de terra" normalmente associada ao MST, portanto, também não se sustenta em fatos. Mas voltemos ao momento imediatamente posterior à ocupação da terra. Nesse momento, a única riqueza do grupo é justamente sua capacidade de trabalho e os poucos itens que conseguem levar para a ocupação – em geral, são apenas algumas lonas de plástico e pedaços de madeira para fazer suas barracas. No terreno, normalmente não há nada. São terras há muito improdutivas, abandonadas, degradadas. Em muitas delas, sequer há sombra para se abrigar (dado que as árvores já não existem mais), algo inimaginável para nós da cidade.

E é aí, exatamente como nas sociedades primitivas que descrevemos no início do texto, que começa o processo de geração de riqueza do grupo. Como vimos anteriormente, a única maneira de qualquer grupo ou indivíduo gerar nova riqueza é investir. Não existe outra. E como investir significa renunciar a uma riqueza atual buscando multiplicá-la em um momento futuro, para esse grupo isso significa abrir mão de sua força de trabalho, a única riqueza que possuem ao fundar um novo acampamento.

Homens e mulheres partem ao trabalho e vão em busca das riquezas que podem ser geradas naquela área. Identificam as nascentes de água, as parcelas de terra que podem ser preparadas para o plantio e os melhores lugares para construir suas moradias. E então começa o processo de geração de riqueza.

Assim como descrevemos no começo deste livro, dois princípios se colocam como fundamentais para que a ocupação da terra seja bem-sucedida: a redistribuição e a reciprocidade. Mas como isso

117

DESIGUALDADE

funciona na prática? Cada família recebe um pedaço de terra onde terá a responsabilidade de gerar riqueza, produzir. E esse pedaço de terra é, por sua vez, dividido em duas partes. Numa delas, a parte maior, a família produzirá a riqueza que poderá negociar (vender) e assim acumular a riqueza necessária para suas necessidades, como por exemplo construir uma casa melhor, equipá-la, comprar roupas etc. Pode ser soja, mandioca, algodão, milho, gado ou o que for. É um investimento decidido pela família, que sabe que correrá também os riscos desse investimento.

No outro pedaço de terra, o menor, a família deve gerar riqueza para o grupo. É o pedaço de terra de que ela cuida para fortalecer a comunidade e fazer com que todos, em qualquer condição, tenham condições para seguir trabalhando nas terras. É esse pedaço que garantirá a comida para todos na comunidade. O feijão, arroz, mandioca, tomate, amendoim, peixe, frango ou qualquer outro produto desse espaço será redistribuído entre todos e garantirá a fartura do grupo, pelo menos em relação à alimentação. Parte dessa parcela da produção servirá também para que o grupo possa negociar, e com os recursos obtidos construir escolas, postos de saúde e outras instalações que garantam que nenhuma parte da comunidade fique em situação de fragilidade e deixe de contribuir para a geração de riqueza de todos.

E assim a comunidade vai gerando riqueza, redistribuindo o necessário para que todos tenham força suficiente para seguir sempre trabalhando, transformando ao longo do tempo um terreno sem árvores e sem sombras em uma comunidade com casas de alvenaria, crianças alfabetizadas e plantações sadias e modernas.

A VERDADEIRA ECONOMIA E LIÇÕES SOBRE...

Propositalmente, minha viagem começou num acampamento que havia se instalado havia poucos anos. Eram casas extremamente simples, a maioria delas de lona de plástico e madeirites. No entanto, as plantações já estavam produzindo a pleno vapor, e as escolas para os filhos e filhas dos acampados estavam funcionando. A terra – e a escola das crianças – vem antes da própria casa onde se dorme, na escala de prioridades dos acampados. Isso porque, como o conceito de riqueza é muito claro para um acampado, ele sabe que os recursos escassos que têm devem ser investidos onde o grupo poderá tirar mais retorno em longo prazo para sustentar seu crescimento e fortalecimento.

O último lugar onde passei meus dias nessa viagem foi em um assentamento com mais de vinte anos de existência. Ali, a comunidade desenvolveu ao longo do tempo uma moderna cooperativa, com foco na agroindústria do leite.

Visitar esse assentamento foi para mim um choque. Jamais imaginei que encontraria instalações modernas e sofisticadas como as que vi nessa cooperativa do MST. Mais parecia que visitava uma pequena fábrica suíça ou francesa, sem exagero algum. No espaço onde se processam quase cem mil litros de leite nos dias de pico, trabalhadores se revezam em turnos para produzir iogurte, manteiga, queijo e bebidas lácteas que abastecem os mercados, hospitais e escolas de várias cidades vizinhas.

A cooperativa é responsável por comprar os insumos que serão utilizados pelas famílias do assentamento em suas produções individuais, garantindo assim melhores preços (menores custos de produção) e permitindo que se dediquem exclusivamente nas suas tarefas. Ela também é responsável pelo processamento da

DESIGUALDADE

produção dessas famílias e pela sua comercialização, agregando valor e conseguindo melhores preços de venda. Todos saem ganhando.

O modelo que testemunhei neste assentamento pôs em xeque vários dogmas que eu havia aprendido na faculdade e nos livros de economia. E me fez também ressignificar muitos conceitos sobre os quais tanto tinha ouvido falar.

O primeiro deles foi o de que a maneira mais eficiente de se potencializar a produção de riqueza é estimulando a competição e o lucro. Basta isso para que o "mercado" tome conta do resto. Pois lá estava, diante de meus olhos, um dos empreendimentos de maior sucesso que conheci até hoje e que para minha surpresa não tinha o lucro como o principal motor. Claro, ter lucro era uma condicionante para que aquele empreendimento pudesse ter crescido da forma como cresceu, na velocidade em que cresceu, até que chegasse ao ponto em que está hoje. Mas não era esta a variável a ser maximizada, como aprendemos nos cursos de economia.

Repare que o leite que abastece esta agroindústria vem também de outros acampamentos e assentamentos do MST, alguns dos quais ficam longe e produzem pouco. Só o custo de ir buscar o leite nesses lugares já tornaria esta decisão inviável, fosse o lucro a variável a ser otimizada na equação. Mas existe uma compreensão de que são exatamente essas comunidades as que mais precisam desta agroindústria para poderem avançar do estado inicial em que estão e poderem um dia produzir volumes maiores para construir também a sua própria agroindústria. E foi esse propósito maior, o de usar a agroindústria para fortalecer também as parcelas frágeis da comunidade MST, que promoveu sua rápida evolução.

A VERDADEIRA ECONOMIA E LIÇÕES SOBRE...

Outro conceito sobre o qual ouvimos muito no mundo corporativo, mas que eu jamais tinha visto funcionar de uma forma tão explícita e eficiente como nesse assentamento, é o da meritocracia. Quando chegaram, no início do assentamento, todos os camponeses receberam o mesmo pedaço de terra, três alqueires. Nesse pedaço, ao longo dos últimos vinte anos, puderam escolher em qual cultivo iriam apostar suas fichas. Uns preferiram plantar hortaliças, mandioca, tomate e frutas, outros optaram por criar bicho-da-seda, alguns escolheram criar frango, e outros, ainda, criar gado para fornecer leite para a agroindústria do assentamento. Todos, porém, separaram um espaço menor em seu terreno onde produziam o básico para ser dividido por todos. Depois de vinte anos, o resultado foi que cada um conseguiu acumular uma quantidade de riqueza diferente. Uns moram em casas lindas, com varanda, vários cômodos, jardins ornamentados, e têm carros novos. Outros, cujas apostas de produção não deram tão certo, ou simplesmente trabalharam menos, têm casas menores, mais humildes, carros antigos, ou mesmo motos. Mas ninguém passa fome. Ninguém tem os filhos fora da escola ou analfabetos. Quem diria que o maior exemplo de meritocracia que eu iria conhecer na vida seria justamente no MST, o mesmo rotulado de revolucionário, comunista e até terrorista. Mais ainda, uma meritocracia capitalista, mas que é parte de um contexto de extrema solidariedade e sentimento de grupo. Sim, aprendi que essas são coisas que podem andar em conjunto.

Ainda seguindo esse raciocínio, foi revelador e inspirador conhecer um grupo (e aqui não me refiro somente a este último

DESIGUALDADE

assentamento onde estive, mas ao MST como um todo) em que não há uma pessoa sequer que tenha mais riqueza acumulada do que a quantidade de riqueza que gerou para o mundo. Lembrem-se de que são pessoas que chegaram de mãos vazias em um pedaço de terra que não era e jamais será delas. E que ao longo do tempo foram tirando dessa terra a riqueza de que precisavam para sobreviver e com a sobra foram construindo seu patrimônio.

Imaginem que pudéssemos medir a riqueza do mundo em quantidade de jabuticabas. Se o morador de uma dessas comunidades tem acumulado cinquenta jabuticabas (representando sua casa, carro e outros bens), podemos ter a certeza de que ao longo da vida ele trouxe para o mundo mais do que cinquenta jabuticabas – duzentas por exemplo. Dessas, 150 ele usou para abastecer o carro, pagar as contas de luz, comprar roupas, ou seja, para tornar o mundo mais rico. E ele ficou com as outras cinquenta jabuticabas.

Em outras palavras, são pessoas que ficaram mais ricas ao longo da vida sem deixar nenhuma outra mais pobre. Pelo contrário, foram deixando outras também mais ricas. Tive a oportunidade de conversar com vários prefeitos de cidades onde esses acampamentos e assentamentos estão estabelecidos. Todos, sejam eles de partidos com ideologia de direita ou de esquerda, foram unânimes em dizer que, depois que os assentamentos e acampamentos se instalaram nas terras que antes eram improdutivas (e na maioria das vezes abandonadas), a economia da cidade foi transformada. Eram as outras 150 jabuticabas que estavam sendo distribuídas para o mundo.

A VERDADEIRA ECONOMIA E LIÇÕES SOBRE...

Eu venho de um mundo, mais especificamente o mundo dos bancos brasileiros, onde cresci vendo pessoas que têm 10 mil jabuticabas e ao longo da vida produziram somente dez. Como jabuticabas não aparecem num passe de mágica, isso significa que as 9.990 outras têm que ter vindo de outro lugar. Agora, percebe-se de maneira explícita de onde vieram: de pessoas que ficaram mais pobres. É a riqueza que se constrói em cima da pobreza dos outros. O bom e velho parque de areia com seus montes e buracos.

11. A CONCENTRAÇÃO DOS MEIOS DE PRODUÇÃO E A DEPENDÊNCIA ECONÔMICA

O pequeno período que passei nos acampamentos e assentamentos do MST representou sem dúvida a melhor aula de economia que já tive em minha vida. Enquanto passei uma vida inteira estudando a economia dos livros, aquelas pessoas passaram a vida inteira *vivendo* a economia – vale lembrar o significado original da palavra "economia", gerenciar o lar. E isso traz uma compreensão absolutamente mais rica sobre os conceitos econômicos do que qualquer livro pode trazer.

Um aluno de economia, ao errar uma questão numa prova, pode receber nota 9 em vez de 10. Um economista em um banco, se errar sua previsão, ganhará menos dinheiro em sua aposta. Mas, para aquelas pessoas do MST, errar uma questão na economia da vida pode significar a diferença entre viver e morrer. Por isso elas têm naturalmente tão claros conceitos como investimento, custo de oportunidade, risco e retorno.

DESIGUALDADE

Talvez não com os nomes que aprendemos na academia, mas exatamente os mesmos conceitos, compreendidos de uma forma muito mais profunda e real.

Foi ali, morando junto àquelas pessoas e vendo a *economia* acontecer a todo instante, de verdade, diante de meus olhos, que pude compreender um dos conceitos mais importantes para explicar a natureza do sistema capitalista: a indispensável relação de dependência entre trabalhadores e donos dos meios de produção.

Como já vimos neste livro, o surgimento da propriedade privada foi sem dúvida alguma a mais importante mudança de paradigma nas relações econômicas entre os homens. Após o seu surgimento, o ato de gerar riqueza deixou de ser uma decisão pessoal e passou a ser algo para o qual era necessário ter permissão. Isso fez com que, ao longo do tempo, os donos das terras e dos meios de produção, aqueles com o poder de dar ou negar essa permissão, cada vez mais acumulassem suas riquezas a partir da terra e cada vez menos a partir da sua capacidade pessoal de produzir.

Assim, os ricos precisaram somente ser filhos de famílias ricas para, ao herdar terras, máquinas e dinheiro, ter como única tarefa oferecer seus meios para outros que saibam gerar riquezas, os trabalhadores. Passaram inclusive a estudar para exercer essa função distanciada do processo de geração de riqueza, tornando-se "administradores" de fazendas, fábricas e empresas.

As relações econômicas, mais do que somente uma relação de conflito de classes, passaram a ser uma relação entre capital e trabalho. E cada vez mais aqueles que não geravam riquezas ficavam com uma parcela maior, e os que eram responsáveis

A CONCENTRAÇÃO DOS MEIOS DE PRODUÇÃO...

pela criação de riquezas, com uma parcela menor. Em resumo, a exploração do trabalho pelos donos dos meios de produção. Isto teve também um efeito psicológico importante, como lembra o psicólogo social americano Erich Fromm. Quando o homem era próximo do processo produtivo e contribuía gerando riqueza, sabia psicologicamente que sua capacidade de produzir tinha um limite físico ou fisiológico. Sua ambição, portanto, era também limitada. Ao distanciar-se desse processo produtivo e passar a acumular a riqueza gerada por outros, somente através da exploração de seu trabalho, esse limite passou a ser infinito. Ou pelo menos passou a ser limitado somente pela quantidade de pessoas que conseguiria explorar. Algo que passou a ser enorme depois da Revolução Industrial e da produção em grande escala possibilitada pelas máquinas. Com isso, sua ambição também se tornou ilimitada.

Migramos então para um sistema, o atual, no qual os ricos concentram quase todo o capital disponível – seja ele financeiro, tecnológico, fundiário ou intelectual –, mas pouco ou nada contribuem no processo de geração de riqueza. Isso os coloca ao mesmo tempo em uma situação de enorme força e fragilidade.

Força porque eles detêm o direito de escolher quando, quanto e como será gerada a riqueza que sustentará o grupo do qual fazem parte e dominam. Mas frágil porque, se por qualquer motivo perderem a propriedade dos meios de produção, passam a não ter valor algum. E sabendo disso, passam a ter como único objetivo manter sua posição privilegiada nesse sistema, impedindo o acesso dos trabalhadores às terras e aos meios de produção.

E esse simples fato, sozinho, explica quase todos os fenômenos do sistema econômico em que vivemos. As pressões por

DESIGUALDADE

reformas trabalhistas e previdenciárias por parte das elites, os juros altos praticados pelos bancos e as campanhas de demonização de movimentos organizados como os sindicatos e o próprio MST, por exemplo.

Vejamos o caso dos juros altos praticados no Brasil pelo sistema financeiro. O senso comum vê na ganância dos bancos o principal motivo para esse fenômeno. E não há como negar que a busca por maiores lucros por parte das empresas financeiras tem, sim, influência nas altas taxas. A compreensão desse modelo de dependência entre capital e trabalho, necessário para a manutenção do sistema, revela, porém, que o lucro dos bancos é mais consequência do que causa das altas taxas de juros.

Imagine o exemplo de um trabalhador rural. Ele sabe como plantar, cuidar de uma lavoura e colher. Domina completamente o processo de produção de riqueza no campo. Mas não possui o principal: a terra. Com isso, é obrigado a aceitar as condições impostas pelo fazendeiro, o dono da terra, para gerar riqueza para ele, ficando somente com um ínfimo pedaço daquilo que produz.

No entanto, esse trabalhador tem outra opção. Ele pode adquirir um financiamento em um banco e comprar o seu próprio pedaço de terra. Passará então a plantar na sua propriedade e, com o retorno do investimento feito na plantação, pagará o financiamento no banco. Isso fará com que o fazendeiro fique sem o trabalhador e sem saber como plantar; ou seja, fica sem nada.

Essa opção, no entanto, só existe se uma condição for válida: a taxa de retorno do investimento do trabalhador (nesse caso, o resultado do investimento na lavoura) for maior do que a taxa de financiamento do banco. Do contrário, ela simplesmente não existe. O mesmo vale para um operador de máquinas que

A CONCENTRAÇÃO DOS MEIOS DE PRODUÇÃO...

obtenha financiamento para comprar sua própria máquina ou para um professor que obtenha financiamento para abrir seu próprio cursinho. E é exatamente este o motivo de termos os juros tão altos no país: para inviabilizar o acesso às terras e aos meios de produção e manter a dependência dos trabalhadores – os únicos capazes de gerar riqueza – aos donos do capital.

O mesmo raciocínio vale também para países. Países que conseguem se endividar numa taxa menor do que o retorno de seus investimentos tornam-se independentes economicamente. E é por isso que países que têm dívidas enormes – como o Japão, ou mesmo os EUA –, mas que conseguem financiamento a taxas de juros abaixo de suas taxas de crescimento não têm a solidez de sua economia questionada, enquanto países como o Brasil, com um endividamento bem menor, mas que crescem a taxas bem mais baixas do que o custo de sua dívida, nunca conseguem deixar a condição de fragilidade e dependência externa. Desempenhamos como país, num nível global, o papel dos trabalhadores, e países como EUA e Japão, o papel dos donos das terras e dos meios de produção.

Outro cuidado que deve ser tomado pelos donos dos meios de produção para manter essa necessária relação de dependência é impedir, a qualquer custo, a organização dos trabalhadores. Isso porque, organizados, esses trabalhadores podem simplesmente inverter a relação de dependência. Vejamos por exemplo o caso das greves. Se um trabalhador sozinho decidir que não irá trabalhar, de maneira a mostrar que o dono da empresa tem uma posição frágil porque não domina o processo de criação de riqueza, certamente não causará impacto algum – e provavelmente acabará demitido. Mas, se todos os trabalhadores da

DESIGUALDADE

empresa se unirem e decidirem juntos não ir trabalhar, o dono da empresa estará numa situação incrivelmente difícil. Afinal, sem seus trabalhadores, os responsáveis pela riqueza que produz (e acumula), ele não é capaz de absolutamente nada. E este será sempre seu maior medo.

É por isso que, no mundo todo, os donos das terras e dos meios de produção pressionam o governo por reformas trabalhistas que diminuam a força dos sindicatos e outras organizações coletivas e minem os direitos dos trabalhadores. Com o único objetivo de fazer com que a relação de necessidade e dependência entre o trabalhador e eles se acentue e a capacidade de compreender seu papel no processo produtivo diminua.

Por fim, é esse também o motivo por trás das mudanças propostas nos regimes de seguridade social em muitos países capitalistas. O interesse em dificultar a possibilidade de as pessoas poderem se aposentar é fazer com que, impedidos de tornarem-se donos dos meios de produção, os trabalhadores sejam obrigados a seguir até o fim da vida trabalhando e gerando riquezas para os donos dos meios de produção. Sem a aposentadoria não lhes resta alternativa senão aceitar a condição que lhe for oferecida para sobreviver.

O problema é que, com as novas regras vigentes em muitos países capitalistas, a capacidade física e psicológica de gerar riqueza de boa parte dos trabalhadores cessará antes da chegada de sua aposentadoria. E então, sem a posse dos meios de produção, sem a capacidade de gerar riqueza e sem um estoque de riqueza acumulado, só restará a eles uma alternativa para sobreviver: a assistência social. E é aí que reside o grande risco do futuro do sistema capitalista.

12. O FUTURO DO SISTEMA CAPITALISTA

Fazer previsões sobre o futuro nunca foi tarefa fácil. Principalmente para economistas. Mas é talvez o que eles passem mais tempo tentando fazer. E, apesar de não ser um economista, por ser este um livro sobre o tema, acho pertinente fazer uma breve exposição sobre minhas perspectivas para o sistema capitalista.

Tenho de confessar que, partindo de onde estamos, é difícil ser otimista. Afinal, vivemos num mundo que passa pelo seu momento de maior desigualdade social em toda a sua história. Um mundo onde pouco mais de duas dezenas de indivíduos concentram a mesma riqueza de quase 4 bilhões de pessoas. Onde a riqueza acumulada pelo 1% mais rico supera aquela nas mãos dos 99% mais pobres. E onde quase toda a nova riqueza gerada vai para o 1% mais rico, enquanto os 50% mais pobres ficam com literalmente nada. E percebam que não estamos falando somente da realidade de países pobres ou em desen-

DESIGUALDADE

volvimento. É essa a realidade de países tão ricos como o mais rico de todos, os Estados Unidos.

Muitos, porém, preferem ser otimistas. Depositam boa parte de seu otimismo nas inovações tecnológicas, que surgem num ritmo inédito em toda a história. Fruto de uma combinação de uma capacidade explosiva de armazenamento de dados com a inteligência artificial e o aprendizado das máquinas, nos acostumamos a ler e a ouvir toda semana notícias de novas tecnologias que prometem acabar com a fome, com a sede e com a degradação do meio ambiente. A realidade, infelizmente, pode não ser tão simples.

Foram nos séculos XVIII e XIX que gênios como Alessandro Volta, Benjamin Franklin, Nikola Tesla e Thomas Edison desvendaram os segredos da eletricidade. Não tardou até que as pessoas imaginassem que logo o homem não dependeria mais de sua força mecânica para realizar tarefas. E que isso teria impacto direto na exploração da força de trabalho em todo o mundo, permitindo que vivêssemos todos num mundo mais justo e humano.

Lá se vão mais de dois séculos, e é triste saber que quase dois terços da África subsaariana não têm acesso (ou têm acesso muito limitado) à energia elétrica. A história é cheia de exemplos em que a inovação capaz de transformar o mundo chega, mas, infelizmente, não chega para todos.

Mas, apesar de não ficar disponível para todos, as novas tecnologias têm se mostrado capazes de mudar a vida de todo mundo, mesmo que de maneira indireta. E são exatamente as consequências das recentes inovações tecnológicas que pintam um futuro assustador para o sistema capitalista.

O FUTURO DO SISTEMA CAPITALISTA

O fato é que o capitalismo armou sua própria cama de gato. Em seu livro *A riqueza das nações*, Adam Smith lançou a tese de que, dividindo-se o trabalho em diferentes etapas, a produtividade dos trabalhadores seria muito maior do que se cada um se ocupasse individualmente de todas as fases do processo de produção.

Apesar de naturalmente essa divisão já existir desde tempos remotos, foi a partir dali que a ideia ganhou força. Essa divisão, dizia ele, permitiria que cada trabalhador se especializasse em pequenas tarefas e se aperfeiçoasse cada vez mais na função para a qual fora designado. Como consequência, sua produtividade e a das empresas aumentaria. Isso, associado a um sistema econômico baseado no livre comércio, faria com que as nações se tornassem tão ricas quanto poderiam ser. Foi para esse rumo que o mundo caminhou. E não há como negar que a capacidade de gerar riqueza e o ritmo do progresso de fato cresceram exponencialmente no novo modelo. Adam Smith, ao que parece, estava certo!

O problema é que a especialização foi ficando cada vez maior. E o trabalhador foi se especializando, na maioria dos casos, em uma etapa menor do processo. Suas tarefas foram ficando cada vez mais limitadas e repetitivas, como caricaturado no filme *Tempos modernos*, dirigido, produzido e estrelado pelo gênio Chaplin.

O que o homem parece não ter sido capaz de prever, porém, foi que ao tornar sua tarefa cada vez mais simples e repetitiva, e as máquinas cada vez mais inteligentes e sofisticadas, estava criando uma combinação explosiva para o seu futuro. Isso porque uma coisa é substituir o trabalho de um único homem que projeta

DESIGUALDADE

uma cadeira, serra os pedaços de madeira que a compõem, prega os pedaços na posição correta, lixa e enverniza o objeto final por uma máquina. Outra é substituir um homem especializado somente numa etapa deste processo, que simplesmente serra os pedaços de madeira, um após o outro, exatamente do mesmo tamanho o dia inteiro. É muito mais simples fazê-lo.

O fato é que, com o avanço da tecnologia e com as tarefas desempenhadas pelos trabalhadores divididas em diversas etapas, os donos dos meios de produção puderam aos poucos ir substituindo as etapas mais simples e repetitivas pelas máquinas. E aí, aos trabalhadores que eram responsáveis por essas etapas só restou a opção de aceitar ganhar menos e se tornar responsável (com sorte) por alguma outra etapa mais simples do processo produtivo, que a tecnologia ainda não fora capaz de substituir por uma máquina.

Paralelamente a isso, os donos dos meios de produção foram estimulando o treinamento de parte da força de trabalho existente para poder comandar as novas máquinas que surgiam. Eles usavam o discurso do "investimento em educação" em prol de um futuro melhor para a nação. Na verdade, precisavam de quem os ajudasse a substituir sua força de trabalho por máquinas. E mesmo os que se aperfeiçoavam, apesar de ajudarem a aumentar a produtividade da empresa, num dado momento passaram a não ver o ganho de produtividade refletido no salário.

Os EUA são um bom exemplo disso. Lá, desde a década de 1980, o enorme aumento de produtividade gerado pelas novas tecnologias não se refletiu em absolutamente nenhum ganho em termos reais na renda individual dos trabalhadores ligados

O FUTURO DO SISTEMA CAPITALISTA

à produção. Isso porque o estímulo à educação não veio junto com o incentivo ao acesso aos meios de produção para os trabalhadores. Na verdade, o que se buscava era simplesmente ter trabalhadores tão dependentes quanto antes, só que capazes de ajudar a substituir o resto da força de trabalho pelas máquinas. E todo esse ganho de produtividade foi parar no aumento dos lucros das empresas e nos dividendos de seus sócios, que explodiram desde então.

Esse processo segue em andamento. As tecnologias continuam avançando e ficando cada vez mais baratas. No momento em que se tornam capazes de executar uma das etapas do processo produtivo ainda realizadas por um trabalhador por um custo menor que este, imediatamente os substituem, jogando-os para baixo na escala de remuneração e importância na empresa.

O problema é aonde isso pode chegar. Imaginemos, com total liberdade criativa e sem o compromisso de acertar, o tempo em que poderia se tornar real o mundo como o que descrevo a seguir.

Um dos poucos donos dos meios de produção deste mundo, onde a riqueza é ainda muito mais concentrada do que é hoje, quer ter um carro novo. Ele então aperta somente um botão. Este botão faz com que uma máquina movida a energia solar, em uma região distante, tire de uma montanha de sua propriedade o minério necessário para construir as peças do carro. Esse minério cai numa esteira que o leva até uma fábrica, onde é transformado em peças. Robôs então montam as peças e fabricam o carro. O carro, autônomo, vai sozinho até a casa dessa pessoa, que abre a porta de casa e recebe o carro que pediu.

DESIGUALDADE

Nenhuma pessoa ajudou em todo o processo. A nova riqueza (o carro) foi gerada sem que precisasse ser dividida com ninguém. Nesse mundo, exageradamente fictício, a relação de dependência do capital com o trabalho simplesmente não existe mais. E aí, resta a pergunta: qual será a utilidade das pessoas que não detêm os meios de produção para aqueles que o detém. E como é que sobreviverão sem poder gerar riqueza para os outros e sem ter a propriedade dos meios? Só há uma resposta possível: viverão da assistência social.

Apesar de estarmos aparentemente longe desse mundo fictício, parece que já estamos trilhando o caminho de destinar os mais pobres aos programas da assistência social. É isso que as reformas dos sistemas previdenciários em todo o mundo capitalista propõem. E ninguém parece estar alarmado com esse caminho. Principalmente aqueles que seriam os mais afetados, os trabalhadores. Mas deveriam, porque ainda há um risco adicional.

Num mundo onde a assistência social torna-se a única alternativa de sobrevivência para os trabalhadores mais pobres, já sem utilidade econômica para o sistema (na verdade, transformados em um peso), o Estado deveria ter mais e não menos importância na economia. Isso porque, para os mais pobres, depender da assistência social da iniciativa privada seria o mesmo que assinar sua sentença de morte. E, assustadoramente, é isto que está acontecendo nos países capitalistas com a venda do patrimônio do Estado para a iniciativa privada e a defesa do "Estado mínimo".

É por esse motivo que acredito que a participação do Estado na economia, por meio da propriedade das terras e dos meios

O FUTURO DO SISTEMA CAPITALISTA

de produção, deveria voltar a aumentar, garantindo que, através de sistemas democráticos e representativos, a maioria das pessoas possa sempre eleger representantes e ter, como grupo, a propriedade dos meios de produção para gerar riqueza em nome de todos para ser distribuída. Mesmo que através de políticas públicas.

Não se trata de defender um Estado pesado, ineficiente, burocrático e corrupto, é claro. Não sou daqueles que acredita que existem somente duas opções: ou ter um Estado assim, ou não ter Estado. Acredito ser plenamente possível, principalmente com as novas tecnologias e processos, ter um Estado moderno, eficiente, forte e relevante para a nação que ele representa. E que garanta que todos seguirão sempre tendo acesso a uma parcela das riquezas que forem geradas em seu solo.

Talvez uma análise puramente econômica, que busque o modelo de mundo mais produtivo e financeiramente eficiente possível, não chegue a essa mesma conclusão. Mas não somos seres econômicos, somos seres humanos. As experiências que vivi recentemente, descritas neste breve livro, me deixaram com a certeza de que nosso futuro depende de compreender isso.

POSFÁCIO

MÁRCIO CALVET NEVES*

A sigla HNWI representa em inglês o grupo chamado de *high--net-worth individuals*. São indivíduos que possuem mais de 1 milhão de dólares em investimentos líquidos. Naturalmente, os membros desse seleto grupo são cortejados por consultores, instituições financeiras e escritórios de advocacia, ávidos por prestar consultoria para reduzir a carga tributária sobre tais investimentos. Acontece que fazer planejamento tributário para um HNWI no Brasil, apesar de perfeitamente legal, é injusto. Isso porque toda a legislação é feita para privilegiar quem detém patrimônio, em detrimento daqueles cuja renda apenas se destina ao sustento e cumprimento das obrigações mais básicas.

Já vimos que o Brasil possui uma das cargas tributárias sobre renda, lucro e ganho de capital mais baixas do mundo, ao

---

* Advogado, mestre em Direito Tributário pela Georgetown University; especialista em Direito da Economia pela Fundação Getulio Vargas e mestrando em Ciência Política pela Universidade Federal Fluminense.

DESIGUALDADE

mesmo tempo que sua carga sobre bens e serviços está entre as maiores do planeta. Tal discrepância é a principal responsável pela perpetuação da desigualdade, origem de todos os problemas sociais que o país enfrenta.

A tributação é a forma pela qual o Estado consegue transferir renda e patrimônio dos mais ricos para os menos afortunados. No entanto, como implementar a transferência se os mais ricos estão blindados pela legislação em vigor, construída em causa própria?

Para enfrentar o problema da desigualdade é urgente adequar a carga tributária brasileira à de outros países. Isso significa aumentar consideravelmente a tributação sobre lucros, renda e ganho de capital, para conseguir reduzir, também de maneira expressiva, a tributação sobre os bens e serviços que são utilizados por toda a população.

Sem entrar em pormenores a respeito do tributo e da entidade política responsável pela arrecadação, a ideia pode ser ilustrada de forma simples, por meio de um exemplo baseado em estimativas reais: a carga tributária sobre a energia elétrica e serviços de telecomunicações no Brasil é de aproximadamente 40% sobre o preço do produto e serviço. Ao mesmo tempo, a tributação paga pelos indivíduos sobre os dividendos recebidos de empresas é de 0%. Acontece que nem todo brasileiro detém participação em empresas, ao passo que todo cidadão, direta ou indiretamente, consome energia elétrica e serviços de telecomunicações. Ou seja, uma redução na tributação sobre tais produtos e serviços, compensada por um aumento na tributação sobre dividendos, claramente beneficiaria toda a sociedade.

POSFÁCIO

A tributação sobre dividendos é usada, de modo habitual, para exemplificar a injustiça tributária no país, mas existem inúmeras outras situações previstas na legislação, feitas não só para manter o patrimônio dos mais ricos, mas para acentuar a desigualdade social independentemente do período pelo qual passe a economia nacional. Nada justifica que a propriedade de uma Brasília amarela seja sujeita ao pagamento de um imposto sobre patrimônio, enquanto o proprietário de um barco ou avião não precise pagar imposto algum sobre o bem; que um presidente de empresa que aufira mais de 1 milhão de reais em salários por ano pague exatamente a mesma alíquota de imposto de renda que seu empregado que recebe 5 mil reais por mês; que a herança sofra uma tributação que não excede 8%, perpetuando eternamente o patrimônio na mão das mesmas famílias; que o investidor estrangeiro consiga auferir rendimentos e ganhos de capital no mercado brasileiro sem qualquer tributação; que empresas de serviços e mercadorias com faturamento de até 78 milhões de reais consigam remunerar seus sócios, que muitas vezes desenvolvem o trabalho pessoalmente, com carga tributária total (carga da pessoa jurídica e da pessoa física) que não chega a 20%, enquanto os empregados das mesmas empresas, que naturalmente recebem muito menos que seus sócios, paguem imposto de renda superior; que incentivos fiscais sejam concedidos sem qualquer preocupação de que a redução da carga tributária chegue ao consumidor final. Enfim, os exemplos são incontáveis e apenas ilustram um arcabouço jurídico cuja matriz ideológica é a perpetuação da exploração dos mais pobres pelos mais ricos.

DESIGUALDADE

Uma vez feitas tais constatações, é possível concluir que o enfrentamento da desigualdade e, consequentemente, dos maiores problemas do Brasil não é uma tarefa impossível, nem um trabalho para gerações. E, tampouco, deveria ser um projeto político "de esquerda". A nossa legislação é tão perversa, a carga tributária, tão mal alocada, que bastará nos adequarmos a modelos já experimentados em outros países para darmos um salto enorme e imediato na busca por um país mais justo.

Para atingirmos tal objetivo é essencial que todos pensem no coletivo, pois o crescimento do grupo fará todos os indivíduos terem uma vida mais aprazível, menos custosa. Menos gastos com segurança, saúde e escolas privadas. Mais economia nas compras no mercado, nas contas de energia, telefone, gás e água.

Independentemente da formação profissional, todos podem participar dessa transformação para uma sociedade mais justa, mas o profissional do direito tributário tem as condições de ser um poderoso agente de mudança ao se questionar sempre se a tributação que busca para seu cliente, além de legal, é justa.

O texto deste livro foi composto em
Garamond Pro, em corpo 11/16

A impressão se deu sobre papel off-white
pelo Sistema Cameron da Divisão Gráfica
da Distribuidora Record.